Béjéanne Baudet

Règles
et stratégies
pour exercer
un leadership
efficace

*ou l'art
d'influencer
sans remords!*

•en comité •en réunion
•en conseil
d'administration

Pierre Mongeau · Jacques Tremblay

Règles et stratégies pour exercer un leadership efficace

ou l'art d'influencer sans remords!

•en comité •en réunion •en conseil d'administration

LIBRE
EXPRESSION

Données de catalogage avant publication (Canada)

Tremblay, Jacques, 1952-
  Influencer sans remords

ISBN 2-89111-343-8

1. Groupes, Petits. 2. Leadership. 3. Influence (Psychologie). I. Mongeau,
Pierre, 1954-   . II. Titre.

HM141.T73 1988   302.3'4   C88-096074-4

Maquette de la couverture: France Lafond

Photocomposition et mise en pages: Helvetigraf, Inc.

Éditions Libre Expression, 1988

Dépôt légal:
3e trimestre 1988

ISBN 2-89111-343-8

TABLE

PREMIÈRE PARTIE:
INFLUENCER EN GROUPE

VUE PANORAMIQUE

CONTEXTES PARTICULIERS

PRÉFACE

Vous arrive-t-il d'en avoir par-dessus la tête des réunions? D'atteindre le summum de l'exaspération devant l'obstination des uns et l'inertie des autres? Vous arrive-t-il de ne plus savoir quelle place occuper dans un groupe, d'hésiter entre le sarcasme et l'envie de laisser les autres se débrouiller seuls? Atteignez-vous parfois le stade où la simple idée d'avoir à participer à un autre de ces «briefings», «meetings» et autres assemblées du même acabit fait naître en vous l'irrésistible envie d'être ailleurs?

Pourtant l'idée d'acquérir une certaine influence sur le groupe vient parfois, telle une tentation, vous effleurer. Mais elle s'accompagne généralement d'un fort relent de «plaisirs interdits» comme s'il s'agissait là d'une pulsion coupable, d'un péché. Sentiment qui empêche de parler ouvertement des manières d'exercer de l'influence.

Le bagage de valeurs contradictoires héritées de notre culture judéo-chrétienne est lourd. D'un côté, on admire les personnages influents de notre société tandis que de l'autre, on dénigre les moyens immédiats qui sont à notre portée et qui nous permet-traient d'accroître notre propre influence sur les autres. Ces contradictions qui nous habitent entraînent généralement une attitude ambivalente par rapport au plaisir d'influencer.

Pourtant c'est en très grande partie grâce à l'influence des autres que nous sommes devenus ce que nous sommes. C'est en effet par nos interrelations que nous développons nos goûts et notre personnalité, et, paradoxalement, c'est aussi en influen-çant les autres et en réagissant à leur influence que nous affirmons notre originalité.

En tant qu'intervenants auprès de groupes, il nous apparaît important que chacun puisse réfléchir librement sur les jeux de l'influence interpersonnelle, afin d'en arriver à «influencer sans remords». Aussi la lectrice ou le lecteur de ce livre y trouvera les éléments propices à l'amorce d'une réflexion sur les aspects concrets et pratiques de ses stratégies d'influence. Ces éléments

9

de réflexion lui permettront d'orienter et d'augmenter positivement son impact sur les membres des équipes auxquelles elle ou il est rattaché.

Le document qui a servi à la rédaction du présent ouvrage a été utilisé, à titre expérimental, auprès de certains groupes avec lesquels nous avons travaillé. Plusieurs participants nous ont communiqué leurs réactions aux tactiques et procédés que nous suggérons. La plupart des personnes (cadres, coordonnateurs, membres d'équipes multidisciplinaires, infirmières, etc.) ont trouvé fort enrichissant ce réservoir d'idées et de manières de faire qui, par la suite, se sont avérées utiles et pratiques dans le déroulement de leurs diverses réunions.

Certains se sont dits découragés devant la quantité de petites choses à penser: «Il est impossible de faire tout ça, on ne peut réfléchir à tout, tout prévoir, etc.». En fait, il ne faut pas viser à intégrer d'un seul coup la totalité des recommandations contenues dans le texte. Pour être efficaces, les suggestions de ce livre n'exigent aucunement d'être suivies à la lettre ni surtout d'être toutes suivies. Chacun prendra le temps de les assimiler et de les adapter à son rythme et à son mode de fonctionnement. L'intégration d'éléments de plus en plus complexes se fera progressivement, comme c'est le cas dans tout apprentissage.

D'autres craignent de perdre leur «naturel» ou leur «authenticité» en décidant volontairement d'adopter un comportement spécifique face à une personne ou à un groupe. Un peu comme si la spontanéité était garante de la pureté des interventions et pouvait tenir lieu de stratégies d'influence. Ne pas réfléchir et ne pas planifier ses interventions au nom d'une soi-disant authenticité, c'est précisément s'exposer aux pires frustrations puisque les décisions se prendront sans nous. La maîtrise d'une stratégie d'influence, faite en fonction de nos intérêts en relation avec les intérêts du groupe, est loin d'être incompatible avec un «naturel» qui ne s'en trouvera que mieux servi.

D'autres encore se sont sentis offusqués à la lecture d'un document qui heurte de front leurs convictions. «Vous n'avez pas peur que des gens en profitent pour en manipuler d'autres, que votre ouvrage serve à des fins malhonnêtes?» demandent certains. Soulignons que la crédibilité de chacun est directement fonction de son intégrité face au groupe et que ce livre oriente

10

toujours la réflexion sur les stratégies visant à concilier l'intérêt personnel avec les buts et les objectifs de l'équipe. Il tente de cerner les pièges et les impasses auxquels aboutira le groupe s'il fonctionne à l'intérieur d'une dynamique de polarisation, de clan, de dictature, etc. Il cherche à favoriser des rapports d'influence tenant compte de l'ensemble des individus, et des intérêts, forcément diversifiés, qui composent tout groupe de travail.

Notre effort en rédigeant ce livre fut essentiellement d'aider la lectrice ou le lecteur à assurer et à augmenter sa crédibilité aux yeux des autres membres de l'équipe et d'accroître ainsi, avec son influence, son plaisir d'y participer.

PRÉSENTATION GÉNÉRALE

D'abord pratique, cet ouvrage contient plusieurs suggestions qui peuvent servir de guide à nos actions en groupe. Son objectif est d'aider les personnes qui participent à des réunions de toutes sortes, ou qui doivent fonctionner en équipe, à accroître leur influence, leur crédibilité et leur productivité au sein de leurs groupes de travail, ainsi qu'à mieux organiser et planifier chaque rencontre. Près de vingt ans d'expérience, à titre de consultants et de formateurs au leadership et au travail en groupe dans diverses organisations, servent de fondement aux auteurs.

Nombre de livres ont été écrits sur le leadership, les relations interpersonnelles et le travail en groupe. Toutefois, la majorité de ceux qui traitent de leadership ou d'influence cherchent à décrire les différents types de leaders et à dégager des modèles de bon ou mauvais leadership (autocratique, démocratique, directif, etc.). Plus rares sont ceux qui indiquent concrètement comment développer notre propre influence. Tandis que ceux qui traitent du travail en groupe sont souvent volumineux et difficiles à utiliser lorsqu'on est pris dans l'action. Le présent ouvrage cherche à combler ces lacunes.

Il concerne l'influence en groupe. Il est détaillé et présente des principes généraux et des recommandations précises pour intervenir plus efficacement et pour faire face à des situations particulières. En seconde partie, deux outils de travail sont proposés. Le premier, succinct, concerne les réunions de groupe et leur organisation. Il indique «ce qu'il faut faire et ne pas faire» pour qu'une équipe atteigne ses objectifs. Le second permet à chacun de faire, sous forme d'exercice pratique, un portrait de ses réseaux personnels d'influence et d'appartenance.

Quoique essentiellement pragmatique, l'ensemble du livre vise aussi, et peut-être surtout, à stimuler la réflexion et l'appropriation par chacun de ses interventions de groupe. En fait, le meilleur usage que l'on puisse en faire n'est pas de suivre à la

lettre les suggestions qui sont proposées mais plutôt de lire ou
de relire certaines parties de l'ouvrage entre diverses expériences
de groupe afin de réfléchir sur ses prochaines interventions au
sein de ces mêmes groupes.

Première partie

INFLUENCER EN GROUPE

INTRODUCTION

Cette première partie comporte deux sections. La première section présente un ensemble de règles générales tandis que la seconde précise ces règles dans des situations particulières.

Chacune des sections présente les attitudes problématiques les plus fréquentes et suggère un ensemble de comportements à adopter pour améliorer notre influence personnelle, c'est-à-dire notre capacité de modifier consciemment les agissements des autres.

Les pièges dénoncés et les procédés suggérés s'appliquent spécifiquement en situation de groupe. Ils se rapportent à l'influence informelle, celle qui s'exerce librement et sans recours à quelque forme de coercition que ce soit.

Vue panoramique

EXPLICATION DES SCHÉMAS

Les schémas illustrent les interactions entre les membres d'un groupe. Il s'agit moins de les analyser que de se laisser impressionner par le mouvement qu'ils suggèrent.

Les ballons (⊗) correspondent aux personnes. Les traits pointillés (- - - - -) représentent une interaction faible. Les traits fins (———) une interaction «normale», et les traits gras (———) une interaction plus soutenue.

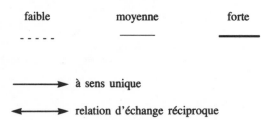

Position
suggérée

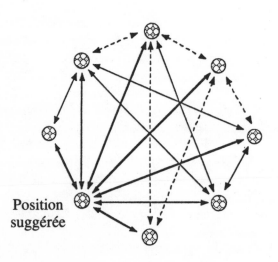

CROYANCES ET CLICHÉS

L'influence qu'une personne peut exercer sur les membres d'un groupe de travail apparaît parfois comme quelque chose de magique ou d'inné. Cette capacité d'influencer les autres que possèdent certaines personnes semble être un don du ciel. Ou bien cette faculté est perçue comme un résultat heureux, plus ou moins dû au hasard ou au mélange des personnalités en présence. Mais, dans le cas contraire, il ne reste plus qu'à souhaiter d'être béni des dieux ou qu'à maudire le destin. Plus encore, les deux préjugés les plus répandus sont que l'influence est quelque chose de vil, ou, au contraire, qu'elle est glorifiante. Ces idées nous laissent sans recours et sans espoir de modifier notre capacité d'influencer. Heureusement, elles peuvent être remplacées par d'autres conceptions.

L'influence, c'est ignoble!

Nombre de gens associent des valeurs négatives à tout ce qui touche à l'influence. Rechercher volontairement à influencer les autres est souvent perçu comme quelque chose qui se situe à la limite du mal. Vouloir être consciemment manipulateur est odieux, immoral. Dans ce contexte, l'influence n'est belle et noble que lorsqu'elle se produit «par hasard» ou qu'elle n'est pas directement attribuable à une volonté d'influencer. En général, elle n'est acceptable que dans la mesure où elle est involontaire. Pourtant, au travail comme ailleurs, la définition même de nos tâches et fonctions exige quotidiennement que nous influencions les membres des équipes et des réunions auxquelles nous nous devons de participer. Malheureusement, cette association de valeurs négatives au processus d'influence nous empêche de faire valoir nos idées adroitement.

Cette association de valeurs négatives à tout ce qui touche à l'influence a aussi pour conséquence que peu de gens parlent ouvertement de la manière dont, à l'occasion, ils ont influencé quelqu'un ou se sont laissé influencer. Cet aspect un peu secret et tabou de nos rapports d'influence fait que non seulement peu d'entre nous ont eu la chance d'affiner leur sensibilité et de réfléchir sur leurs stratégies d'influence mais aussi qu'à l'opposé nombreux sont ceux qui refusent consciemment de s'exercer à influencer les autres. Ils se fieront plutôt à une certaine spontanéité naïve à laquelle ils associent de multiples vertus. Ces croyances les empêchent de choisir «quand», «à qui» et «comment» ils diront ce qu'ils ont à exprimer.

De plus, ce refus conscient d'influencer les autres est souvent accompagné d'une croyance selon laquelle la qualité seule d'une idée ou d'une personne est suffisante pour la faire émerger des autres. Qui d'entre nous ne s'est trouvé un jour dans la situation d'avoir raison sur quelqu'un d'autre, mais sans trouver la force de convaincre: «Pourtant je lui avais dit..., pourquoi ne m'a-t-il pas écouté?» Et nous ne comprenons pas pourquoi nous n'avons pas réussi à influencer cette personne.

Dans de telles situations, le processus d'influence est mal géré ou bien n'existe pas. Il est laissé à lui-même. Son développement devient sauvage. Il s'ensuit des conflits, des chocs inutiles et des blessures rarement constructives entre les membres du groupe. Chacun fait pourtant de son mieux, mais sans ligne directrice, sans vraiment savoir quoi faire pour sortir de l'impasse. Notre influence dans le groupe est alors très aléatoire. Elle dépend directement des compatibilités de valeurs ou de caractères des personnes en présence. Elle n'est fonction que des points communs que nous partageons spontanément avec les autres membres du groupe. Notre influence n'est alors liée qu'aux réseaux de sympathie et d'antipathie qui circulent dans le groupe, alors que ces réseaux peuvent justement n'être que la conséquence d'un processus d'influence mal géré.

Dans ces cas-là, notre influence est fragile, peu efficace, temporaire et indépendante de notre volonté. Nous risquons de nous conformer sans nous en rendre compte aux normes et aux valeurs dominantes du groupe, ou encore nous risquons de nous rebeller de façon inefficace. Nos interventions risquent fort d'aller comme elles viennent, sans plan directeur. Nous subirons l'évolution de la dynamique du groupe sans réelle capacité d'intervention volontaire ou stratégique. Des discussions anodines et superficielles peuvent alors dégénérer en combats de coqs, conflits artificiels et luttes à vide, où les objectifs et les intérêts du groupe et de chacun sont finalement oubliés. Les membres du groupe perdent le contrôle de la mise en scène des rapports d'influence au profit d'un développement anarchique et hasardeux.

Nous sommes souvent plus en interaction avec l'image que nous nous faisons du groupe qu'avec le groupe lui-même.

L'influence, c'est primordial!

Une autre attitude très répandue à l'égard de l'influence consiste à la survaloriser: nous privilégions le fait d'influencer, au point d'en oublier nos intérêts réels et les objectifs du groupe. Influencer devient ainsi une priorité sans que nous nous en rendions compte. Nous voulons influencer les autres selon nos idées et nos convictions. Nous ne sommes alors préoccupé que par notre ego, notre image, notre peur d'être rejeté et notre besoin de nous imposer. Nous espérons tellement réussir à influencer les autres que nous nous laissons prendre au jeu. L'argumentation devient un plaisir qui peut malheureusement parfois tourner au vinaigre. Le fait de réussir à «faire passer» notre idée peut devenir central, presque vital à nos yeux. En fait, tout se passe comme si le nombre de nos réussites devenait secrètement une mesure de notre valeur personnelle.

L'influence devient alors un exercice de relations interpersonnelles. Si, par exemple, nous réussissons à faire accepter sans problème notre ordre du jour, nous en sommes très fier: nous réduisons à nos propres yeux la possibilité d'être rejeté par les

23

autres. Dans le cas contraire, c'est un peu nous qui sommes rejeté. Cette survalorisation de l'influence et son association avec notre valeur personnelle nous portent à croire que si les autres se rallient à notre idée, ils nous acceptent aussi par la même occasion.

Dans ce contexte, seul compte le fait de voir les autres adhérer à nos convictions et cela nous rassure. Ni les grincements de dents ni les visages crispés ne nous dérangent. Nous ne les voyons pas vraiment. Pendant que la tension des autres monte, la nôtre baisse. Notre attention est concentrée et attirée vers des contenus que nous percevons comme essentiels à l'avancement du groupe. Nous nous percevons comme centré sur la tâche alors même que nous abattons l'essentiel de notre jeu au niveau des relations interpersonnelles dans l'équipe. Nous avons la conviction d'aider le groupe à s'organiser et à évoluer. Il nous semble que sans nos interventions le groupe n'avancerait ni aussi bien ni aussi vite.

De plus, si nous sommes en position d'autorité formelle (situation qui ne permet pas aisément à nos subalternes de nous rejeter directement) et que nous adoptions cette attitude de survalorisation de l'influence lorsque nous intervenons pour régler une situation délicate en groupe, alors notre capacité d'influencer ne reposera essentiellement que sur notre pouvoir coercitif. Notre pouvoir formel étant souvent fort limité, notre pouvoir d'influencer le sera aussi. De plus, il se trouvera toujours quelqu'un pour développer une stratégie d'influence informelle plus efficace, qui viendra, à nos yeux, saper nos efforts pour améliorer la situation du groupe.

Souvent, sans qu'on le sache, une telle attitude est à la limite du mépris envers les membres de l'équipe. Cet irrespect à l'égard des autres est une faiblesse majeure qui entraînera, à plus ou moins long terme, ce que nous voulions à tout prix éviter: le rejet. Tôt ou tard, quelqu'un en aura assez, et ce sera le conflit. Exactement le type de conflit que l'on dit «de personnalités», alors qu'il n'est ici le résultat que de la maladresse, de la peur et de l'ignorance au sujet du processus d'influence.

L'influence, un échange

Bien sûr, en définitive, influencer c'est réussir à modifier les idées et/ou le comportement des autres. C'est réussir par notre comportement en général, par nos gestes et nos paroles, à faire en sorte que les gens adhèrent à nos idées et propositions. C'est, par exemple, réussir à amener une personne à se prononcer, alors qu'elle était silencieuse.

Pour influencer efficacement, il nous faut agir de façon que les autres croient que ce qu'ils ont de mieux à faire pour atteindre leurs propres objectifs est de se rallier à nos suggestions.

Donner aux autres et recevoir d'eux est essentiel pour réussir à influencer les autres membres de nos groupes de travail. Chacun ne se laissera influencer volontairement que s'il croit qu'il en tirera profit. L'influence s'appuie en conséquence sur un processus d'échange. Plus précisément, ce qu'il nous faut donner et recevoir, c'est de l'information. Donner en partage nos idées, nos actions, nos émotions, et aussi recevoir celles des autres.

Donner, recevoir et échanger de l'information signifie répondre aux autres et obtenir une réponse de leur part. Celle-ci n'est pas nécessairement une approbation ou un accord. Elle est une réaction, tant verbale que non verbale. Nos gestes et notre façon de parler constituent des réponses pour les autres, et réciproquement. Un signe de doute avec la tête, pendant que quelqu'un émet une proposition, est une réponse non verbale.

Notre corps, nos gestes et notre voix parlent et répondent autant et aussi bien que nos mots. Quelqu'un qui se recule bien au fond de sa chaise à chaque fois qu'une autre personne s'exprime ou que tel sujet est abordé traduit très bien avec son corps, à tous ceux qui se donnent la peine de le voir, quelque chose qui peut aller de la simple lassitude à la désapprobation la plus totale. Nous nous exprimons souvent plus clairement par le ton de notre voix et par nos gestes que par le sens des mots que nous employons. Selon le ton employé et la mimique qui l'accompagne, la phrase «Y a-t-il quelqu'un qui a quelque chose à dire?» peut très bien constituer une véritable invitation à s'exprimer ou au contraire une invitation à se taire.

En fait, l'essentiel des échanges d'information liés au processus d'influence s'appuie sur notre communication corporelle, sur nos gestes et notre voix. Pour qu'un tel échange ait lieu, il nous faut percevoir, donner, recevoir et redonner de l'information. Il nous faut regarder, écouter, nous exprimer et réagir aux autres.

Notre objectif étant d'influencer les autres, chercher à percevoir et à recevoir de l'information concernant leurs comportements et les nôtres peut sembler une attitude bien passive. Nous exprimer activement est sûrement le meilleur moyen: lorsque nous parlons, nous avons l'impression d'être actif. Pourtant, rester passivement silencieux alors que les autres attendent notre opinion peut être une façon très efficace d'exprimer «activement» notre désaccord. De même, recevoir des autres n'est pas nécessairement une attitude passive, bien au contraire. Il faut aller chercher l'information, ne pas attendre qu'elle nous parvienne d'elle-même. Il faut rechercher, analyser et évaluer les informations dont nous avons besoin et nous rappeler que nos réactions et celles des autres sont perçues différemment par chacun, puisque les autres aussi recherchent, analysent et évaluent l'information qu'ils perçoivent. D'ailleurs, notre propre perception des messages que nous croyons transmettre aux autres varie souvent grandement de ce que les autres perçoivent effectivement. Autrement dit, les autres ne perçoivent pas toujours ce que nous avons voulu dire et nous ne discernons pas nécessairement ce qu'ils ont voulu exprimer.

Notre capital, nos perceptions mutuelles

Tout le monde a pu expérimenter, à un moment ou à un autre, jusqu'à quel point un même événement peut être perçu différemment par les membres d'un même groupe. Par exemple, une personne en interrompt une autre avec vigueur pour mieux reformuler son idée aux yeux des autres membres. Certains y voient un geste d'appui, une façon d'exprimer de l'enthousiasme. Ils n'y voient rien de répréhensible. Pourtant, d'autres n'y décèlent que de l'impolitesse, ou même de l'hostilité. Ces derniers croient que celui qui a coupé la parole cherche à s'approprier l'idée de l'autre, à s'en attribuer le mérite. Ils seront alors plutôt portés à se méfier d'une telle personne. Nous ne réagissons pas à ce que font ou disent vraiment les autres mais seulement à ce que nous croyons qu'ils disent ou qu'ils font. De même, les autres ne peuvent répondre à l'intention réelle de notre message; ils ne peuvent réagir qu'à la perception qu'ils en ont.

Nul ne peut réussir à influencer efficacement le fonctionnement d'un groupe de travail s'il ne tient pas compte de l'impact que ses interventions ont sur le reste du groupe. Mais personne ne peut prétendre non plus savoir exactement comment il est perçu par les autres membres du groupe, ni prétendre agir directement en fonction de la réalité. Nous sommes tous limités à la perception que nous en avons. Pourtant, nous n'avons pas le choix, nous devons faire confiance à nos perceptions malgré leurs limites. Celles-ci constituent notre seul véritable outil pour établir une stratégie d'influence au sein d'un petit groupe de travail.

Aussi est-il souhaitable de diversifier et de multiplier le plus possible nos sources d'information, tenter de les développer et chercher à les raffiner. Il nous faut savoir ce que nous pensons des autres et avoir une bonne idée de ce que les autres pensent de nous. Nous devons diversifier et multiplier les perceptions que nous avons du groupe et de nous-mêmes afin de maximiser nos chances de frapper juste.

Pour influencer, il faut agir autant en fonction de ce que nous pensons des autres qu'en fonction de ce que nous croyons que les autres pensent de nous. Il ne s'agit pas là d'un jeu de mots. Le fait que plusieurs d'entre nous négligent de prendre en considération la réaction des autres à leur façon d'être et d'agir dans le groupe explique un grand nombre de tentatives infructueuses pour influencer telle ou telle décision.

Dit positivement, nous devons bâtir sur les forces que nous croyons posséder et sur celles que les autres nous attribuent. Si les membres d'un groupe nous attribuent plus d'expérience que nous ne nous en attribuons nous-même, ils ont peut-être raison. Il ne s'agit ni d'admettre aveuglément la perception des autres à notre égard ni de se fier à notre seule perception de nous-même, mais plutôt de tenter de prendre en considération la perception qu'ils ont de nous, lors de nos efforts pour influencer le cheminement de l'équipe.

LES PIÈGES

On passe toujours par les mêmes sentiers

Influencer les autres pour obtenir ce que nous désirons n'est pas réservé à l'âge adulte. Dès notre enfance, nous commençons déjà à influencer. Nous cherchons à séduire notre père ou notre mère pour obtenir qu'il ou elle fasse ce que nous voulons. Ou encore nous apprenons à nous plaindre à la bonne personne au bon moment, ou, à l'inverse, nous apprenons à élever le ton et à protester suffisamment longtemps pour faire céder l'autre. Chaque expérience nous apporte son lot de petits succès et d'échecs. Tranquillement, nous nous formons tous une opinion sur ce qui «marche», sur ce qu'il convient que nous fassions dans telle ou telle situation, puis nous cherchons à répéter ce qui a donné des résultats. Ainsi, les stratégies d'influence, conscientes ou non, que chacun emploie aujourd'hui dans ses groupes de travail s'appuient sur ces diverses expériences: sur un long processus d'essais et d'erreurs commencé dès l'enfance.

Nous agissons souvent plus en fonction de l'image que nous nous faisons de nous-même que de la position réelle que nous occupons au sein du groupe.

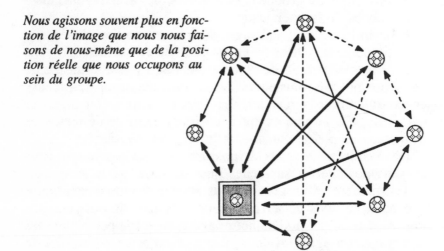

Aujourd'hui encore, à l'âge adulte, chacun de nous développe et raffine sans cesse, souvent sans s'en rendre compte, ses propres stratégies d'influence, qui deviennent ainsi de plus en

28

plus solides et mieux articulées à chaque expérience de groupe. Elles sont fondées sur des convictions profondes que nous sommes prêt à défendre. Pourtant, il nous arrive à tous de connaître des revers, des situations où rien ne «marche», où de bonnes idées ne passent pas, où des décisions ne se prennent pas, etc. Nous avons beau retourner la situation dans tous les sens, aucune porte ne s'ouvre devant nous. Il ne nous reste alors que le blâme. Certains choisiront de rejeter la faute sur les autres, alors que d'autres prendront sur leurs seules épaules tout le poids de l'échec.

La difficulté ne réside pas tant dans l'application de nos stratégies, puisque généralement nous les connaissons bien, que dans les limites de notre répertoire de stratégies. La plupart du temps, ce dernier se limite à deux ou trois tactiques: «Si la douceur n'a pas d'effet, je vais me plaindre au supérieur», «S'ils ne comprennent pas cette fois-ci, je dépose une plainte», «S'il n'y a pas moyen de leur faire entendre raison, je démissionne». La difficulté, c'est que ce n'est pas vraiment nous qui décidons de la façon de faire, mais les expériences déjà vécues qui décident pour nous. Notre répertoire étant limité, nos possibilités de choix le sont d'autant. Lorsque rien ne «marche», c'est en grande partie dû au fait que nous nous heurtons aux limites de notre répertoire, c'est-à-dire que nous ne possédons ni ne connaissons alors de stratégie appropriée à la situation.

La principale force de nos vieilles habitudes est la sécurité qu'elles nous apportent. Même dans l'échec, elles peuvent nous apparaître plus sûres que les risques qu'entraîne l'application d'une nouvelle stratégie. Par exemple, je peux très bien savoir que, si je m'entête, tôt ou tard une dispute va éclater au sein du groupe. Ce risque peut toutefois me sembler fort bénin à côté de celui que représente à mes yeux le fait de tolérer ce qui m'apparaît comme une perte de temps pour tout le monde.

De plus, nos vieilles habitudes s'appuient sur l'inertie et l'économie d'énergie, sinon sur la paresse. Le fait que la plupart d'entre nous avons systématiquement tendance à nous asseoir toujours à la même place en est une bonne illustration. La même chaise, le même bureau, les mêmes voisins de table, tout cela nous sécurise et nous simplifie la vie à certains égards. Nous n'avons pas à nous demander où nous voulons nous asseoir, nous n'avons pas à transporter nos papiers, personne ne nous demandera pourquoi nous ne changeons pas de place... Malgré ces avantages à très court terme, cette habitude limite nos possibilités de contacts personnels et informels avec d'autres. Espérons que le hasard aura bien fait les choses la première fois...

Sans queue ni tête

Certains survalorisent leurs stratégies d'influence, tandis que d'autres dévalorisent leurs propres façons de faire. Dans le premier cas, il est évident que la meilleure façon de procéder pour atteindre nos objectifs personnels au sein du groupe semble être de continuer à faire ce que nous avons toujours fait. Les modes d'expression, champs de préoccupation et stratégies qui sont utiles pour le groupe sont ceux avec lesquels nous nous sentons le plus à l'aise. Dans le deuxième cas, c'est le contraire. Les modes d'expression avec lesquels nous sommes à l'aise nous apparaissent souvent, sinon toujours, un peu inadéquats pour le groupe avec lequel nous devons travailler. Dans les deux cas, nous rêvons souvent d'un ailleurs meilleur. «Si les autres n'étaient pas ce qu'ils sont, ça irait mieux», ou encore: «Si je n'étais pas comme cela, je pourrais les persuader.»

De même que l'influence que nous exerçons vraiment sur le groupe est généralement mal évaluée, nous avons souvent tendance à surévaluer ou à sous-évaluer l'influence des autres sur le groupe. Ceux d'entre nous qui s'expriment beaucoup ou très bien peuvent parfois avoir tendance à surévaluer leur influence et à sous-évaluer celle des autres. Inversement, les gens qui s'expriment peu ou mal tendent parfois à se sous-estimer et à surévaluer les autres.

Cette difficulté d'évaluation de notre pouvoir réciproque d'influence provient en partie du fait que nos indices de mesure sont tout aussi limités que notre répertoire de stratégies. Par exemple, nous pouvons évaluer notre influence ou celle d'un autre membre en fonction du nombre ou de la qualité des paroles émises, en oubliant qu'elles s'adressent toujours aux mêmes personnes et que par conséquent leur portée sera plus limitée que si elles s'adressaient à l'ensemble du groupe. Nous oublions alors que l'essentiel du processus d'influence se joue sur le plan non verbal (sourires, gestes d'approbation, etc.). Nous oublions de considérer l'impact qu'a cette personne sur le reste du groupe. Il ne faut pas en juger seulement en fonction de ce qu'elle émet, mais se fonder sur l'interaction entre elle et le groupe. Pour mieux évaluer notre influence, il nous faut observer à quelles personnes s'adresse le message, quelles sont celles qui le reçoivent et comment elles réagissent.

Nous pouvons mieux connaître nos propres modes d'expression, stratégies et champs de préoccupation privilégiés en identifiant ce que nos proches et les gens que nous aimons valorisent. Par exemple, quel comportement nos amis et les gens qui nous aiment valorisent-ils? Quel trait de notre caractère nos proches relèvent-ils le plus souvent? Apprécient-ils davantage les gens impulsifs ou les gens réfléchis, les intuitifs ou les rationnels, les abstraits ou les concrets, ou encore ceux qui sont centrés sur les objectifs à long terme plutôt que sur les objectifs à court terme, sur la tâche à accomplir plutôt que sur les relations entre les gens, etc.? Il y a de fortes chances pour que nous partagions, du moins en partie, les mêmes intérêts et valeurs que ces personnes. Bien sûr, il ne s'agit là que d'une indication, que nous pouvons cependant compléter en nous interrogeant sur nous-même et en tentant d'identifier les traits que nous apprécions le plus chez nos proches. Sont-ils émotifs? Rationnels? Centrés sur des projets? Toujours plongés dans l'action? Si un même trait se retrouve chez plusieurs de nos relations significatives, il est alors plus que probable que nous le partagions avec eux*.

Une fois nos propres tactiques identifiées, il s'agit de se demander quel crédit nous leur accordons, et surtout quel crédit nous accordons aux modes d'intervention ou aux stratégies d'action qui ne correspondent pas aux nôtres. Avons-nous tendance à surévaluer ou à sous-évaluer certains types d'intervention?

---

* Voir l'exercice: «Pour un portrait de nos réseaux personnels d'influence», p. 127.

Faire le mort ou faire du bruit

Les problèmes liés à l'influence, l'aspect tabou de celle-ci, sa difficulté d'évaluation, ses répercussions émotives, etc., entraînent souvent une dramatisation du processus d'influence au sein d'un groupe. Par exemple, parmi des gens polis, on fera comme si personne n'influençait quiconque, comme si l'influence était distribuée d'emblée également entre tous dès le départ. De plus, on n'en parlera jamais. Pourtant, il y a concentration de l'énergie de plusieurs membres du groupe sur le processus d'influence. Vouloir l'éviter à tout prix exige une grande vigilance pour en percevoir les moindres manifestations. À force de ne pas en parler, on finit par lui donner une importance démesurée. Ou, au contraire, les problèmes inhérents au processus d'influence sont tellement connus, on en parle tellement que l'avancement du groupe en est compromis. Dans ces conditions, les gens qui parlent moins souvent ou moins bien en viennent à s'exprimer avec encore plus de difficulté, tandis que ceux qui s'expriment beaucoup en arrivent fréquemment à noyer le poisson sous un déluge de paroles.

PROCÉDÉS ET TACTIQUES

Une règle par quatre

La première règle générale à retenir est de ne pas laisser le hasard déterminer nos comportements à notre place. Cette règle est fondamentale. Elle sous-entend toutes les suggestions de comportement de ce livre. Laisser le hasard décider à notre place équivaut à n'exercer aucun contrôle sur notre influence. Cela équivaut à laisser les autres déterminer ce qui se passera et comment cela se passera dans le groupe. En conséquence, la première règle à suivre pour développer notre influence dans un groupe de travail est d'agir sur notre propre comportement. Avant de songer à influencer les autres de façon dirigée et volontaire, nous devons d'abord développer notre influence sur nous-même, apprendre à décider de chacun de nos gestes et de notre comportement durant nos réunions de travail. Bien sûr, cela n'est pas toujours facile et exige une certaine discipline. On n'apprend pas à jouer du piano en un jour: les virtuoses pratiquent leurs gammes et leurs exercices de base quotidiennement. Ils affinent sans cesse leur jeu. Aucun d'eux ne peut se reposer sur ses lauriers sans risque de perdre son doigté. Il en est de même en ce qui concerne notre habileté à influencer efficacement.

La deuxième grande règle à suivre est tout aussi importante que la première. Elle consiste à toujours concentrer notre attention sur les personnes lorsque nous recevons ou cherchons de l'information, et sur l'ensemble du groupe lorsque nous nous exprimons. Lorsque nous observons ou écoutons, nous devons être sensible aux perceptions et aux réactions émotives de chacun à notre égard, mais, lorsque nous parlons, nous ne devons jamais nous adresser à une seule personne mais à l'ensemble du groupe. De même, si quelqu'un nous parle, nous ne devons pas cesser d'être attentif aux perceptions et réactions émotives des autres participants.

Une autre grande règle générale est de varier nos stratégies d'influence. Il est préférable de demeurer relativement imprévisible. Il faut intervenir tantôt de façon plus rationnelle, tantôt de façon plus émotive ou bien de façon plus posée, ou alors avec davantage de gestes... Il faut éviter de nous ancrer trop profondément dans des habitudes connues de tous: elles sont limitatives en ce qu'elles réduisent l'impact de nos interventions. Les autres membres du groupe peuvent alors nous voir venir et se prémunir contre ce que nous avons l'habitude de dire ou de faire. Tandis que si nous varions nos comportements d'influence, nous pouvons plus facilement obtenir et conserver l'attention des autres. L'idée maîtresse, ici, est d'adapter nos stratégies d'intervention en fonction du contexte et des personnes, de façon à maintenir leur attention. De plus, il faut chercher à diversifier nos zones d'influence, à en développer de nouvelles. Il s'agit d'accomplir différentes tâches, de tenir des rôles divers au sein du groupe, ou de travailler avec différentes personnes. Il faut surtout éviter de penser qu'un jour nous n'aurons plus besoin de développer notre influence et que nous pourrons nous fier aux acquis, car alors il se trouvera quelqu'un de plus dynamique pour prendre la relève. L'influence doit toujours être entretenue. Pour exister, elle doit se développer, sinon elle s'atrophie.

Nous devrions chercher à interagir le plus possible avec chacun des membres du groupe.

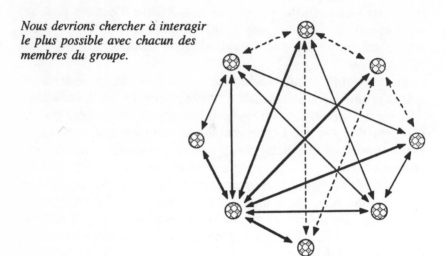

La quatrième grande règle est de tenir compte des intérêts des personnes et des objectifs du groupe. En effet, notre influence au sein d'un groupe de travail est proportionnelle à l'intérêt que les autres trouvent à faire ce que nous leur disons de faire. À moins de s'appuyer sur un pouvoir coercitif ou sur le chantage, notre influence sera minime, voire inexistante, si les membres du groupe ne voient que très peu ou pas du tout d'avantages personnels à fonctionner comme nos interventions le leur suggèrent.

Pour l'essentiel, et de façon générale, gérer le processus d'influence entre les membres d'une équipe de travail signifie planifier et orienter nos ambitions personnelles d'influence ainsi que nos ressources au service des intérêts et des objectifs du groupe. Mieux, faire un effort de gestion au niveau du processus d'influence entre les membres d'une équipe de travail signifie chercher, de façon acceptable par les autres, à mettre les ambitions et les ressources personnelles de chacun au service du groupe. Cet effort constitue le fondement d'une stratégie d'influence efficace. Et permet d'éviter que nos ambitions et nos ressources ne demeurent latentes et dispersées.

Éviter la guerre

Il faut toujours éviter d'entrer en opposition directe et, a fortiori, en conflit avec une personne. Sans nous soumettre, il nous faut rechercher le plaisir plutôt que la guerre et éviter les oppositions systématiques, comme, par exemple, d'avoir toujours une petite chose à rajouter lorsqu'une personne prend la parole. Ou encore, à chaque fois que nous nous exprimons, il faut s'abstenir de surveiller à outrance les réactions tant verbales que non verbales de cette personne, car notre sensibilité aux réactions des autres en serait d'autant diminuée. Il faut éviter de lui répondre directement comme si nous devions absolument la convaincre. Car alors notre objectif n'est plus quelque chose de précis et d'évaluable dans le groupe; il se résume à vaincre une seule personne. S'attaquer à elle systématiquement signifie viser ses compétences, sa façon de participer, de s'exprimer, etc. Nous pouvons attaquer vigoureusement une idée, mais jamais une personne. Même si cela peut paraître efficace à court terme, les autres pourront à la longue développer une certaine méfiance à notre égard. Ils craindront qu'un jour vienne leur tour. Viser une personne lors d'un conflit ou d'un débat d'idées peut réduire sensiblement notre crédibilité au sein du groupe, et, par là même, notre influence. Personne n'aime perdre la face. C'est la guerre qui s'installe alors dans le groupe, tel un cancer. Tous se taisent ou essayent de réparer les pots cassés en jouant les arbitres ou en se rangeant derrière l'un ou l'autre.

Il ne faut toutefois pas confondre une opposition momentanée avec une opposition systématique. Une opposition momentanée peut demeurer sans conséquence si nous savons éviter qu'elle dégénère en opposition chronique. Pour que les conflits ne se développent pas, il faut répondre toujours sur le contenu, viser l'idée et seulement l'idée, en évitant toute remarque concernant la personne elle-même. Il s'agit de canaliser les émotions et l'agressivité de chacun, lorsqu'il y en a, vers les objectifs du groupe. Pour cela, il faut chercher à valoriser les ressources et les compétences de la personne en opposition par rapport aux objectifs du groupe.

Valoriser les ressources et les compétences d'une personne par rapport aux objectifs du groupe ne signifie pas forcément l'aimer. C'est identifier et respecter les zones où elle peut contribuer à atteindre les objectifs du groupe. Il faut écouter et observer les autres membres du groupe, et repérer ceux qui semblent accorder de la crédibilité à cette personne. S'il y a parmi eux des personnes que nous respectons, il nous sera alors peut-être plus facile de l'estimer à notre tour. Si nul ne supporte cette personne, nous tenterons de clarifier ou de faire clarifier par quelqu'un les objectifs du groupe et les tâches de chacun. Puis nous essayerons de déterminer ce que peut faire ou apporter au groupe cette personne à laquelle nous avons tendance à nous opposer. Il faut éviter de comparer ce qu'elle apporte effectivement au groupe avec ce qu'elle pourrait apporter si elle était une autre. Mieux vaut considérer l'aspect positif de ce qu'elle apporte, compte tenu de qui elle est.

Un général ne se bat pas. Il laisse cette tâche à ses lieutenants. Aussi est-il préférable de laisser à ceux qui sont d'accord avec nous la possibilité de donner la charge émotive nécessaire. Mieux vaut laisser les autres défendre et discuter nos idées afin que demeurent intactes notre crédibilité et la confiance personnelle que nous portent les autres. Le fait de ne pas nous mêler directement à la bataille montre que nous pouvons supporter la contestation, que l'important pour nous est de construire, que nous sommes capable d'apporter des idées sans nous battre. Cela nous permet d'écouter les opinions des autres et de trouver des arguments pour négocier, pour rallier. Le but n'est pas de gagner notre point, car gagner signifie que l'autre perd. Or cette impression de perdre peut entraîner un sentiment de rejet, sentiment que nous devons éviter de provoquer tant pour la solidarité du groupe que pour notre position dans celui-ci. Le but est que nos idées soient reprises par l'ensemble du groupe.

Laisser les autres se battre à notre place permet aussi de donner l'occasion aux membres du groupe d'imaginer notre potentiel d'agressivité sans que nous ayons jamais à l'exprimer à fond, et de leur laisser croire que nous pouvons plus encore. Nous leur signalons ainsi qu'il n'y a aucun risque d'être rejeté par nous. Les membres s'apercevront que nous les acceptons même s'ils ne sont pas d'accord avec nous, du moins en ce qui concerne leur contribution au groupe. Notre crédibilité personnelle est ainsi intacte, sinon rehaussée. Notre agressivité doit être perçue comme étant dirigée sur les idées et non pas sur les personnes. Une bonne façon de nous en assurer est d'orienter nos énergies vers le futur, de ne jamais demander ni offrir de justification relative au passé. Toujours viser une chose sur laquelle il est possible d'agir, tel le présent ou le futur. Proposer quelque chose pour maintenant ou pour demain assure notre crédibilité et notre influence, tandis que demander des explications pour le passé risque d'éveiller la méfiance à notre égard et de provoquer de la résistance.

Pour assurer la longévité de notre influence, il faut faire de celle-ci un moyen, un outil pour franchir les obstacles, et non une fin. Ces obstacles peuvent se situer tant au niveau des personnes que des objectifs du groupe. Par exemple, en ce qui concerne les relations, nous pouvons nous sentir rejeté ou avoir l'impression de prendre trop de place; au niveau des objectifs, nous pouvons nous sentir désorienté et considérer que nous ne sommes plus dans la bonne direction. Dans tous les cas, nous devons nous allier à l'obstacle, en faire quelque chose qui puisse nous permettre une intervention constructive. Par exemple, si nous ne nous sentons pas accepté, nous chercherons à vérifier s'il n'y a pas d'autres personnes qui ressentent la même chose. Face à tout obstacle, nous devons chercher en quoi il pourrait s'intégrer à la poursuite de nos buts plutôt que chercher à le détruire.

Le plaisir du jeu

L'objectif est de faire disparaître la notion de danger souvent associée à l'influence, et d'en faire un jeu. Apprendre à y trouver le plus de plaisir possible implique que l'on valorise son influence et qu'on s'en rend responsable. Pour prendre plaisir au jeu de l'influence, il nous faut la prendre en main, l'assumer, ne pas rester passif devant les gens qui veulent nous influencer ou devant ceux que nous voulons influencer, et ne pas craindre de se laisser influencer.

Pour trouver de l'agrément à influencer et à être influencé, il est préférable de nous concentrer sur les objectifs du groupe, sur ce que nous voulons réaliser ensemble. Il s'agit de faire en sorte que le jugement que nous portons sur les autres ne vienne pas entraver notre action dans le groupe. L'important n'est pas ce que nous pensons des gens mais ce que nous faisons avec eux. Ce que nous pensons d'eux n'est qu'une information parmi d'autres, car l'objectif d'un groupe est plutôt ce que ses membres décident de faire ensemble.

Afin d'augmenter le plaisir de chacun des membres du groupe et notre crédibilité au sein de celui-ci, nous pouvons profiter des occasions qui se présentent pour souligner la contribution de chacun. Il s'agit d'accorder le crédit de ce qui est apporté au membre qui l'apporte. On s'assurera que les autres nous perçoivent comme ne faisant pas d'erreur dans l'attribution du crédit de chacun. Cette attitude peut sembler paradoxale puisque, à court terme, elle ne nous rapporte pas. À long terme cependant, elle augmente notre crédibilité au sein du groupe et la confiance que les autres ont en nous. De ce fait, elle assure une base plus solide à notre influence ultérieure.

Il ne s'agit pas de faire remarquer avec éclat ou de façon paternaliste la contribution des autres, ni de se mettre à plat ventre devant eux. Mais, simplement, il ne faut pas hésiter à souligner leur contribution de façon ferme et confiante. Dire le bien que nous pensons des gens est un acte qui augmente notre crédibilité au sein du groupe. Souvent nous n'exprimons pas les pensées positives qui nous traversent l'esprit, par pudeur ou par gêne, ou encore par fausse fierté, comme si le fait de complimenter trahissait de la faiblesse ou de la mollesse. Pour éviter ces écueils, on exprimera notre pensée sans en ajouter. Il nous faut conserver une certaine rigueur, c'est-à-dire ne pas exagérer et être capable de soutenir et de démontrer ce que nous avançons si on nous le demandait. Et cela vaut d'ailleurs autant pour un reproche que pour un compliment. Nous devons toujours nous appuyer sur des faits et sur des comportements observables. Mais il ne faut pas nous priver d'exprimer le plaisir que nous avons à être avec les autres; cela renforce la solidarité du groupe et notre appartenance à celui-ci. Nous montrons ainsi que nous ne pensons pas qu'à notre seul mérite personnel. Aussi, lorsque par la suite nous exprimerons une idée, celle-ci aura-t-elle plus de chances d'être perçue comme apportant quelque chose au groupe que comme une tentative de manipulation intéressée.

En conséquence, pour mieux assurer notre image et notre position dans le groupe, il nous faut paradoxalement en subordonner la défense aux objectifs et aux intérêts de celui-ci. C'est justement en rappelant les intérêts et les objectifs du groupe et en agissant en fonction de ceux-ci que notre image et notre position se renforceront. En termes de plaisir, cela implique de chercher à développer activement les connivences tant et aussi longtemps que nous conservons notre crédibilité. Bien sûr, cela implique également d'éviter d'attiser quelque rivalité que ce soit.

L'information et ses fruits

Pour pouvoir bien choisir notre stratégie d'intervention en fonction du contexte et des personnes, il nous faut recueillir sur chacun des participants le plus d'informations possible au sujet de leurs intérêts, leurs ressources, leurs limites, leurs tabous, leurs goûts, leurs objectifs, etc., particulièrement lorsque ces informations se rapportent à ce qui se passe dans le groupe. On notera les signes d'agressivité, de désintéressement, d'approbation, de confusion, de compréhension... afin d'augmenter notre capital d'influence. Plus nous aurons d'informations sur chacun, plus nos possibilités d'influencer et notre capacité d'être influencé augmenteront.

Pour obtenir ces renseignements sur les gens, il faut observer, écouter et parler avec ces personnes tant à l'intérieur des réunions qu'à l'extérieur. On profitera des pauses pour converser avec chacun. À l'extérieur des réunions, les gens sont détendus et généralement plus disposés à parler, à cause du caractère informel de la situation et parce que ce qu'ils diront, n'étant pas entendu par tous, sera moins compromettant. Il faut parler de choses et d'autres et surtout éviter les interrogatoires, ce qui pourrait compromettre notre complicité avec eux, alors que c'est justement cette complicité avec le plus grand nombre de personnes possible qu'il nous faut développer. Si à ce moment précis nous n'avons rien à dire, nous devons en profiter pour écouter et observer les gens qui discutent et ceux qui se taisent. Il faut porter une attention particulière lorsque les gens deviennent plus émotivement engagés dans une discussion, afin de mieux connaître ce qui les touche le plus. Pendant les réunions, il faut noter quelles idées sont acceptées et lesquelles ne le sont pas et chercher à comprendre pourquoi certaines personnes acceptent ou refusent certaines idées. Il faut noter qui propose quoi et être particulièrement attentif aux suggestions spontanées, pour connaître les valeurs et les lignes de pensée. De même, il faut noter qui se propose spontanément et pour quel genre de travail. Nous pourrons alors nous faire une idée de leurs ressources personnelles et/ou de leurs motivations.

S'il faut nous fier à notre première intuition des autres, il ne faut en revanche jamais chercher à la confirmer. Nous ne devons jamais considérer comme définitive notre évaluation des membres de nos équipes de travail, mais nous devons nous en servir. Il faut jouer sur deux plans à la fois. D'une part, nous devons nous fier à notre perception spontanée des autres, et, d'autre part, nous devons constamment chercher à recueillir le plus d'informations possible sur ces personnes, même si ces informations venaient contredire notre première évaluation. Il faut sans cesse rechercher activement des indices qui pourraient transformer nos préjugés sur chacun des membres, sinon nous nous enfermerons dans des idées préconçues et nous limiterons par la même occasion nos possibilités d'influence.

Dans un contexte d'influence, les jugements que nous portons sur les autres à partir des informations recueillies sont des outils précieux si nous les utilisons et d'immenses obstacles si nous les confondons avec la réalité de ces personnes. Si nous prenons nos perceptions des membres d'un groupe pour des vérités permanentes, nous risquons fortement de manquer le train lorsqu'il passera sur un autre quai que celui où nous l'attendions. Lorsque nous croyons avoir saisi les autres, nous cessons de les écouter, de les regarder, de les respecter, et un jour nous serons déphasé et en dehors de la réalité. Nos propos ne seront en accord qu'avec ce qui se sera passé auparavant et non avec ce qui se passera dans le groupe.

Ne pas prendre nos perceptions des autres pour une vérité définitive, cela requiert beaucoup de vigilance, car notre mouvement spontané est de chercher à confirmer la première impression que nous laissent les gens. Cette recherche de confirmation est un piège, car il est à peu près certain que nous y parviendrons en privilégiant les indices qui la confirment et en négligeant les autres. Pour éviter ce piège et rester ouvert, il nous faut constamment chercher à être surpris par les personnes, leurs compétences et leur expérience. Nous devons nous faire l'avocat du diable sans renier notre évaluation. Même imparfaite, notre perception des autres demeure notre seul gouvernail pour réussir à les influencer. Elle constitue la base même à partir de laquelle nous choisirons le contenu de nos interventions et notre façon d'intervenir. Il ne faut pas que nous limitions nous-même notre base d'intervention. Au contraire, nous devons chercher à l'élargir en transformant nos jugements sur les autres membres de l'équipe. Chercher seulement à confirmer et à protéger l'information que nous possédons déjà, c'est nous laisser emprisonner. Nos jugements sur les autres doivent constituer un moyen qui nous permet de décider d'influencer ou non et de choisir comment nous exercerons cette influence. Nos jugements ne doivent surtout pas devenir les barreaux de notre prison.

Croire que nous sommes à l'abri des préjugés ou que nous ne jugeons pas les personnes est un autre piège. Tous, en tout temps, cherchons à nous faire une idée des personnes à qui nous nous adressons. Que notre impression date de cinq minutes ou de cinq ans, nous cherchons toujours à la préciser. Puisque personne n'a jamais vraiment pu percevoir complètement et avec justesse l'entièreté d'un autre être humain, toute idée que nous nous faisons de quiconque n'est en quelque sorte qu'une opinion préconçue ou une représentation plus ou moins raffinée. Nos impressions des gens sont une forme de préjugé qu'il faut chercher à préciser tout en continuant à nous en servir pour guider nos actions. Il vaut mieux en prendre conscience et utiliser de façon constructive cette faculté que nous avons d'évaluer les gens et les situations, que nous laisser mener par nos préjugés sans le savoir.

Pour influencer, nous devons avoir le goût du plaisir et du risque. Ces notions s'inscrivent dans le présent et sont orientées vers le futur. Nos impressions et nos jugements doivent être au service de nos interventions présentes et de nos projets d'intervention. Nous servir de nos informations sur le passé pour formuler des accusations ne peut qu'éveiller la méfiance et la résistance à notre égard et ainsi miner notre potentiel d'influence. L'influence est un processus dynamique et orienté vers le futur plutôt que vers le passé. S'attarder sur le passé n'apporte que culpabilité et besoin de justification.

Quatre canaux

Dans un groupe de travail, nos quatre activités principales sont de nous asseoir, de regarder les autres, de les écouter et de leur parler. Cela peut sembler simple, mais si nous ne contrôlons pas ces différents aspects de notre comportement en groupe, nous avons peu de chances d'influencer volontairement le fonctionnement du groupe. Nous asseoir, regarder, écouter et parler sont les canaux par lesquels s'exerce notre influence.

Le plus souvent, ces aspects sont laissés au hasard. Nous nous asseyons où nous nous sommes assis la première fois ou encore sur la première chaise disponible. Nous nous sommes pris au piège nous-même. Il nous sera alors beaucoup plus difficile d'élargir notre réseau de relations informelles. Elles seront limitées aux personnes les plus proches de nous physiquement. Ici encore, souhaitons que le hasard ait bien fait les choses...

Nous avons aussi tendance à limiter notre champ de vision. Généralement, nous passons la majeure partie de notre temps à ne regarder que les personnes qui sont en train de s'exprimer. Si les mêmes personnes ont tendance à parler souvent, cela limite grandement notre possibilité d'établir le contact visuel nécessaire à l'établissement d'une relation avec les autres membres du groupe. Plus notre réseau* de relations au sein du groupe est large et solide, plus notre influence peut être forte. Inversement, plus notre réseau est faible, plus notre influence risque d'être réduite. Il en est de même des personnes que nous écoutons. Ne pas écouter, c'est courir le risque de perdre un appui et de réduire la portée de notre influence. Il est bien évident que si nous n'entrons pas en relation avec une personne du groupe, nos chances de réussir à l'influencer en sont réduites d'autant. Il nous faudra alors passer par l'entremise de quelqu'un d'autre.

L'endroit où nous nous asseyons, notre regard, notre manière d'écouter et nos paroles sont nos moyens d'action. Nous devons les contrôler pour éviter de subir passivement l'influence des autres. Ce sont là les dimensions essentielles de notre comportement sur lesquelles repose notre capacité d'influence sur le groupe.

Toutefois, il nous faut garder en tête que notre capacité d'influencer repose davantage sur la perception qu'ont les autres de nos comportements que sur celle que nous en avons nous-même. Nous pouvons varier autant que nous le voulons notre position dans le groupe et nous efforcer de regarder le plus possible l'ensemble des gens. Mais si ceux-ci ne nous perçoivent pas comme étant à leur écoute, notre influence a moins de chances de s'exercer. En conséquence, il nous faut constamment être conscient de la manière dont les autres nous perçoivent.*

Le choix du terrain

Il est important de choisir l'endroit où nous nous asseyons et de varier cet endroit afin d'établir plusieurs contacts et complicités avec plusieurs membres de l'équipe de travail. Naturellement, comme toutes les autres indications du présent ouvrage, cette règle doit être appliquée avec discernement. Il ne s'agit pas d'être obsédé ni caricatural, mais d'être conscient des conséquences de nos comportements en termes d'opportunités. Décider de l'endroit où nous nous asseyons est important par ses conséquences. Nos possibilités et opportunités de relations personnelles sont déterminées et grandement limitées par notre position. Essayons, au cours d'une réunion de travail, de faire des confidences à quelqu'un qui est assis en face de nous... Cela restera toujours plus difficile que si la personne se trouve à côté de nous. En fait, la position face à face dans les réunions de travail rend presque impossible toute tentative de développer une relation plus personnelle. Nos échanges avec cette personne seront la plupart du temps, sinon toujours, liées au contenu de la réunion.

---

* Voir l'exercice: «Pour un portrait de nos réseaux personnels d'influence», p. 127.

La proximité permet d'augmenter les échanges plus informels. En conséquence, on ira se placer à côté de certaines personnes lorsque nous voulons pouvoir faire des commentaires que seules celles-ci entendront. Notre objectif est alors d'établir une certaine connivence, ou tout au moins de personnaliser notre contact. Il s'agit de développer une relation plus privée, moins formelle. La proximité permet aussi de diminuer et même d'éliminer les risques d'affrontement. Par exemple, nous déciderons de nous asseoir à côté d'une personne précise à la première occasion, surtout si nous trouvons qu'elle nous adresse la parole trop directement, trop fréquemment et sur un ton trop agressif à notre goût. Nous diminuerons ainsi les chances que ce début d'affrontement se transforme en conflit ouvert. En effet, être à côté de quelqu'un constitue une position de complicité naturelle. Essayons de nous disputer avec une personne en restant à côté d'elle. Cela est très difficile, sinon impossible. Bientôt nous nous placerons en face ou tout au moins en diagonale, de façon à voir le danger. Comme les animaux, qui ne tournent pas le dos au danger, nous situons d'instinct le danger en face. Pourtant, si l'on y songe bien, nous asseoir à côté de quelqu'un nous permet de toucher la personne, de lui faire part de commentaires qu'il serait autrement impossible de partager. L'objectif fondamental, en nous asseyant à côté, est de rendre connu l'inconnu, et ce dans les deux sens. Le but est autant de nous faire mieux connaître de l'autre que de mieux le connaître.

À l'opposé, s'asseoir en face de quelqu'un permet de rendre public tout ce que nous dirons à cette personne et tout ce que celle-ci nous dira. Cette position est contraire à la précédente, car lorsque nous sommes assis à côté de quelqu'un, notre influence sur cette personne ne sera pas nécessairement publique. Le face à face permet aussi de recueillir beaucoup d'informations sur les réactions de cette personne à notre égard. Dans cette position, elle est facilement observable puisqu'elle est pratiquement toujours dans notre champ de vision. Notons toutefois que cette personne ne se comportera pas nécessairement comme si nous étions à côté d'elle. Nous décidons de nous asseoir en face de quelqu'un lorsque nous désirons affronter ouvertement la personne et que nous pensons en être capable.

Par ailleurs, s'asseoir en diagonale par rapport à certaines personnes permet de rester relativement détaché d'elles. Cette position permet d'avoir un profil bas. Elle favorise l'observation et l'écoute de ces personnes en minimisant les risques d'affrontement et sans nécessairement développer de complicité particulière. C'est une position d'analyse. Elle permet d'être sur nos gardes sans éveiller de méfiance chez les autres. Nous décidons de nous asseoir en diagonale par rapport à certaines personnes lorsque nous les connaissons moins ou lorsque nous les percevons de prime abord comme étant capables d'obtenir une certaine crédibilité et d'avoir de l'influence au sein du groupe. Nous adopterons aussi cette position pour tenter de diriger vers d'autres membres du groupe les interventions qu'on nous adresse avec trop d'insistance. Si cela ne réussit pas, nous pourrons nous rapprocher de la personne, à qui il sera alors difficile de nous adresser la parole directement sans donner l'impression de négliger les autres membres. Elle sera constamment obligée de tourner la tête et de nous regarder pour nous parler, ce qui peut lui être désagréable si elle veut que les autres entendent ce qu'elle dit. De plus, si nous regardons fréquemment les autres pendant qu'elle nous adresse la parole, elle se sentira alors bien obligée de les regarder aussi. Nous aurons ainsi réussi à réorienter le comportement de cette personne vers les autres membres et à éviter qu'il ne se développe une polarisation entre elle et nous.

Les mille mots du regard

Regarder tout le monde fréquemment lorsque nous nous exprimons dans un groupe témoigne de notre intention et de notre désir de parler à tous, et démontre que pour nous chacun est important. Regarder tout le monde augmente les chances que chacun se sente concerné par ce que nous exprimons. Ne nous adresser qu'à certaines personnes donne l'impression aux autres qu'ils ne comptent finalement que très peu à nos yeux. En conséquence, il est plus que souhaitable de balayer du regard très souvent l'ensemble du groupe. Ce simple geste permet d'observer les réactions non verbales de chacun. Nous devons toujours être attentif aux réactions des autres lorsque quelqu'un s'exprime. Cela est particulièrement important lorsque cette personne cherche à influencer le groupe ou lorsque nous-même cherchons à l'influencer. Il faut regarder tous les participants pendant que nous nous exprimons, éviter de fixer notre regard sur une seule personne, car il faut aussi demeurer le mieux informé possible des émotions, réactions et pensées de chacun. En revanche, si nous désirons influencer une personne en particulier, il faut la regarder plus longtemps que les autres mais sans la fixer. Il faut qu'elle se sente directement concernée. Puisqu'il peut être incommodant pour nous et pour elle de maintenir avec trop d'insistance un contact visuel direct, il est préférable de la regarder dans les yeux quelques secondes, puis de regarder ailleurs, puis de revenir aux yeux de la personne visée, en alternant ainsi jusqu'à ce que nous ayons fini d'énoncer ce que nous avons à lui dire. Tout cet échange visuel et verbal doit se dérouler à un rythme qui nous soit confortable. L'objectif étant de maintenir le contact, il ne faut pas se laisser distraire par le moyen adopté pour le maintenir... Il s'agit en quelque sorte de recevoir l'influence des autres au moment même où nous cherchons à les influencer. L'influence n'est pas un processus à sens unique. Pour être efficace, elle doit tenir compte de son propre impact. L'influence est un processus dynamique et circulaire.

De même, si une personne a tendance à trop nous fixer du regard en parlant, il est souhaitable de nous mettre en position de charnière entre elle et le groupe, c'est-à-dire de la regarder un peu dans les yeux pour lui signifier que nous sommes attentif à ce qu'elle dit, puis de balayer le groupe du regard pour que son message rejoigne les autres, ensuite de revenir à elle pour qu'elle continue de se sentir écoutée. Ce comportement nous permet de maintenir notre contact avec les autres membres du groupe, ce qui devient une position stratégique. De plus on évitera de réagir à ce qu'elle dit. Il ne faut pas qu'il s'établisse un dialogue entre elle et nous. Cela nous isolerait du reste du groupe. Tout au plus, peut-on lui poser une brève question de clarification. Sinon, on gardera le silence tout en continuant à regarder tout le monde. On ne lui répondra et on ne réagira à son intervention que lorsque d'autres se seront exprimés, sans toutefois la fixer. Il nous faudra toujours continuer à balayer du regard l'ensemble du groupe, toujours conserver notre rôle de charnière. Notre influence sur le groupe n'en sera alors que plus forte, puisque pour rejoindre les autres la personne s'adresse à nous. Il faut l'aider à influencer le groupe tout en demeurant silencieusement le point de jonction entre elle et le reste du groupe. Il nous faut éviter de créer un clan, d'échanger plusieurs interventions de suite avec cette personne en négligeant de nous adresser aux autres, et éviter aussi de créer une polarisation ou une situation conflictuelle entre nous et elle. Ainsi, nous signifierons aux autres que nous ne voulons ni nous opposer à elle ni nous lier avec elle.

Le principe du ping-pong

Si nous donnons notre opinion, nous devons savoir si notre message a été entendu. Il faut que nos interventions portent, qu'elles soient reprises par d'autres. Il faut toujours chercher à obtenir une réponse de la part des autres. Il ne s'agit pas nécessairement d'accord ou de désaccord, mais de réactions qui nous indiquent que notre message a été reçu. En fait, peu importe qu'il s'agisse de marques d'opposition ou d'appui. L'important est que nos interventions ne tombent pas à plat. Il faut éviter l'indifférence. Il faut toujours chercher à renvoyer la balle et faire en sorte que celle-ci nous revienne.

La réponse peut être verbale ou non, mais elle est souvent du même ordre que le message émis. Si nous regardons une personne, la réponse pourrait être qu'elle nous regarde aussi. Si nous nous adressons à une personne, celle-ci devrait nous adresser la parole à son tour. Si nous esquissons un geste, nous pouvons nous attendre à ce qu'elle fasse un geste pour nous répondre. Si nous sourions à quelqu'un et que cette personne sourit à son tour, cela constitue une réponse. Cette réponse que l'autre nous renvoie peut aussi être d'un autre ordre. Par exemple, si nous faisons une plaisanterie, la réponse peut tout aussi bien être un rire qu'une désapprobation verbale.

Si nous n'obtenons pas de réponse à notre message ou d'indication qu'il a été entendu, il nous faut répéter notre intervention jusqu'à ce que nous ayons au moins l'impression d'avoir été entendu. Après un long moment d'écoute, ou lorsque nous sommes plutôt en retrait d'une discussion, ou encore lorsqu'il est à prévoir que notre intervention ne portera pas directement au premier essai, il nous faut alors répéter jusqu'à ce que nous puissions percer le cercle d'interaction qui existait jusque-là entre les membres qui contrôlaient la discussion. Il est habituel qu'une intervention provenant d'un membre qui s'est tenu en retrait ne soit pas perçue par les personnes prises dans le feu de la discussion, chacune étant absorbée à préparer sa réponse aux arguments des autres. Il faut alors revenir à la charge jusqu'à ce que notre message soit entendu. Il faut chercher à ce que les autres discutent autour de notre idée, et nous-même discuter autour des idées des autres de façon que tous perçoivent que nous sommes prêt à écouter et à alimenter le groupe. Il faut tenter de se rapprocher des centres de décision, devenir un élément moteur des prises de décision, tout en faisant en sorte que les autres membres du groupe aient l'impression d'être entendus par nous. Il faut à la fois que notre participation soit perçue comme importante par les membres du groupe et que celle de chacun soit importante pour nous.

De même, il est stratégiquement souhaitable de souligner que le message de quelqu'un n'a pas été entendu, de façon à lui faire place dans le groupe. En disant, par exemple: «Est-ce que tu pourrais répéter pour tout le monde ce que tu viens de dire?» Ce genre d'intervention assure et développe notre crédibilité tant auprès de cette personne que du reste du groupe. Nous signalons ainsi aux autres qu'ils peuvent compter sur nous et sur notre écoute. Plus tard, ils auront plaisir à nous soutenir, sentant que cela sera dans leur intérêt, puisque nous savons les écouter.

Il faut aussi considérer que l'absence de réponse de la part des autres peut parfois être leur réponse à nos interventions. Nous pouvons soupçonner qu'il en est ainsi lorsque nous avons l'impression que les autres croient déjà connaître le contenu de nos interventions. Par exemple, nous pouvons être catalogué au sein de notre équipe comme prenant toujours position en faveur de telle ou telle idée. Nous pouvons alors avoir l'impression que les autres ne nous entendent pas. Dans ce cas, il faut soit revenir à la charge en demandant ce qui se passe et comment il se fait que nous n'obtenions aucune réaction, soit laisser passer et conclure que notre intervention était carrément hors contexte. L'absence de réaction des autres était la meilleure réponse qu'ils pouvaient nous donner. Pour décider quand revenir à la charge et quand laisser passer, il faut nous fier à notre propre perception. Si, selon nous, notre intervention était hors contexte ou si elle n'était pas vraiment nécessaire, alors il vaut évidemment mieux ne pas insister. Si, en revanche, nous la croyons pertinente et valable, il faut la reprendre.

Écouter la résistance

Lorsque nous constatons que les gens n'acquiescent pas à nos interventions, lorsque nous n'obtenons pas de réponse franchement positive, lorsqu'ils nous disent «non» de différentes façons verbales ou non, ou encore lorsque nous n'obtenons qu'un «oui» ambivalent et incertain, il faut écouter la résistance des gens, poser des questions, chercher à comprendre pourquoi ils ne sont pas d'accord, et quels sont leurs intérêts et leurs besoins. Il ne faut surtout pas trop tenter d'argumenter et d'éteindre leur résistance, comme cela est souvent notre tendance naturelle. Nous réagissons la plupart du temps, face à l'opposition, de façon très émotive malgré les apparences. Nos arguments sont rationnels, mais notre réaction est strictement émotive. Nous voulons alors faire disparaître à grands coups de logique ce qui nous dérange personnellement. Cette façon de réagir n'est pas très efficace en petit groupe, car les parties auront toujours un nouvel argument à ajouter au précédent. Une attitude plus efficace en termes de stratégie est plutôt de chercher à ralentir le rythme des échanges et arguments et d'essayer de comprendre pourquoi les personnes résistent à notre idée. Il s'agit de poser des questions du genre: «Qu'est-ce qui fait que vous refusez ou que vous n'êtes pas d'accord?», «Quels sont les éléments qui vous font dire non?» Il faut découvrir en quoi l'idée dérange ou ne fait pas l'affaire, afin de tenter de répondre aux intérêts et aux besoins cachés. Nous pouvons leur demander directement comment leur résistance pourrait être diminuée, d'identifier pour le groupe les motivations qui expliquent leur opposition, pour ensuite tenter de reformuler l'idée en tenant compte de leurs arguments. Il s'agit de nous montrer ouvert à la résistance des autres sans jamais perdre de vue notre propre objectif.

Si nous constatons que, malgré nos efforts, notre idée ne passe pas, il faut revenir à la charge, réécouter, reposer des questions et tenter une nouvelle formulation. Si vraiment notre idée ne passe pas, si elle n'est pas comprise et si la résistance est trop forte, valable ou fondamentale, mieux vaut abandonner, de façon à protéger notre avenir au sein du groupe. L'important ici est de maintenir l'attention, de montrer que nous cherchons à stimuler le groupe et à contribuer à l'atteinte de ses objectifs. Un bon indice qu'il vaut mieux laisser tomber nous est donné lorsque nous nous apercevons que nous sommes en train de répéter les mêmes arguments à plusieurs reprises. Il faut se rappeler qu'en termes d'influence l'important est que l'on discute autour de nos idées, même si celles-ci doivent être transformées.

La voie du discours

En ce qui concerne la parole, les éléments à considérer dans la détermination de notre impact au sein du groupe sont le vocabulaire, les pronoms utilisés, la durée de nos interventions ainsi que le rythme, le ton, l'intensité de notre voix. Les mots sont importants, mais plus importante encore est notre façon de nous exprimer. Tout ce qui se rapporte à notre voix joue un rôle important dans nos relations d'interinfluence avec les autres.

Pour ce qui est des mots, il faut s'assurer qu'ils soient bien compris par tous. Il ne faut pas hésiter à changer notre vocabulaire ou notre manière de dire les choses lorsque nous nous rendons compte qu'ils ne sont pas adéquats aux yeux du groupe. Par exemple, si le mot «dépendance» fait sursauter les gens parce que, pour eux, il est synonyme de «soumission», il ne faut pas hésiter à chercher un autre mot ou une autre expression qui nous permette quand même d'exprimer notre idée. Au lieu de dire: «Nous sommes dépendants de...», nous dirons: «Nous avons besoin de ...» Au lieu de parler de «problèmes», nous parlerons de «situations insatisfaisantes». Au lieu d'employer le mot «idiosyncrasie», nous dirons: «les particularités de chacun». Dans certains groupes, il faudra dire les choses crûment; dans d'autres, il faudra être plus nuancé. Toutefois, toute modification de notre vocabulaire ou de notre manière de dire les choses ne doit pas aller au-delà de nos habitudes normales.

En résumé, il ne faut pas employer de mots ou d'expressions qui nous éloignent du groupe. Il faut choisir, parmi notre répertoire habituel, les expressions qui conviennent le mieux à l'équipe où nous nous trouvons sans modifier notre image. Le vocabulaire que nous utilisons ne doit pas paraître artificiel car alors l'attention des autres se déplacerait de notre message vers notre effort d'adaptation.

Quant à la durée, il vaut toujours mieux privilégier des interventions brèves. Mieux vaut une intervention courte et énergique, même incomplète, qu'un long discours qui noie les interlocuteurs. Si notre intervention est trop incomplète, nous pouvons reprendre la parole à plusieurs reprises, tandis que si elle est trop longue, les gens n'écoutent plus vraiment notre message: ils ne deviennent sensibles qu'à la longueur de celui-ci. Il faut s'arrêter de parler lorsque les autres regardent ailleurs ou cherchent à nous interrompre, ou dès que nous avons le sentiment de nous répéter au cours d'une même intervention. Dans ce cas, mieux vaut s'arrêter, même brusquement, et laisser la parole à d'autres, pour ensuite revenir à la charge avec une nouvelle intervention, cette fois brève. Lorsque nous savons que nous sommes du genre à parler longtemps ou trop, nous pouvons le souligner avec humour et désinvolture, de façon à dédramatiser la situation et à mettre les autres à l'aise. Surtout, ne pas présenter cette situation comme un problème. Il faut en parler comme d'un «petit vice personnel».

Outre le fait d'augmenter la force de notre impact sur le groupe, cette tactique des interventions brèves nous évite d'avoir l'impression de traîner les autres ou de perdre leur attention. Certains d'entre nous ont tendance à parler plus fort lorsqu'ils voient par les réactions verbales qu'ils ne sont plus vraiment écoutés. Plus les autres semblent manifester de l'inattention ou du désaccord, plus ils élèvent le ton. D'autres encore chercheront, tout en continuant à parler, une paire d'yeux qui veuille bien leur manifester encore de l'attention. Lorsque nous sentons que certaines personnes ne nous écoutent plus, nous recherchons celles qui écoutent encore, pour ne nous adresser ensuite qu'à elles seules. Il s'agit là d'attitudes inefficaces et même nuisibles, dans la mesure où notre message ne passe plus et où notre crédibilité baisse. Mieux vaut rejoindre tout le monde à la fois à plusieurs reprises de façon brève plutôt que de perdre tout le monde petit à petit en une seule fois.

Toujours dans le but d'obtenir et de conserver l'attention et l'intérêt des autres, il nous faut moduler notre voix, lui donner de la vie, en varier l'intensité, le ton, le rythme. Varier par rapport aux interventions des autres et selon le contexte. Varier par rapport à soi-même d'une intervention à l'autre et même à l'intérieur d'une même intervention si nous voyons que l'attention des autres se relâche. Parler calmement ou rapidement et énergiquement. Il nous faut éviter de nous exprimer d'une voix monocorde et impersonnelle, sauf si cela nous permet d'attirer l'attention des autres. Même si les gens ne sont pas d'accord avec ce que nous disons, ils seront au moins à l'écoute.

De plus, il faut varier les pronoms en les choisissant en fonction du contexte et de nos objectifs. Il faut dire «je» quand c'est «je» et uniquement quand c'est «je», de même pour «nous» ou «vous». Il ne faut surtout pas employer toujours le même pronom, toujours dire «nous» ou «vous». Dire «nous» quand c'est «je» suscitera de la résistance chez les autres. De même, dire «vous» (au pluriel) quand c'est «nous» créera une impression de distance entre nous et le reste du groupe et éveillera la méfiance à notre égard. Cela sera probablement perçu comme un désir de s'exclure du groupe. Évitons par exemple les formules du genre: «Vous avez décidé que...» ou «Vous pensez que...» On accordera peu d'influence à quelqu'un dont on a l'impression qu'il cherche à s'exclure du groupe ou qu'il est déjà comme à l'extérieur.

Il faut dire «je» lorsque nous exprimons une idée qui nous est propre. Dire «je» sert surtout à s'inclure dans le groupe pour y faire sa place. Au début, il ne faut jamais utiliser le «tu», afin d'éviter les échanges à deux seulement, qui pourraient donner aux autres l'impression qu'ils sont exclus. Évitons de dire: «Tu penses cela, je ne suis pas d'accord, je m'oppose.» Disons plutôt: «Je ne suis pas d'accord avec cette idée parce que je pense que...»

Le «tu» sert à faire clarifier la position d'une personne en particulier. Nous devons utiliser le «tu» ou le «vous» respectueux pour favoriser l'inclusion de chacun. Il ne faut pas chercher à se différencier directement en réaction aux autres. Leur perception de notre différence par rapport à eux doit découler de l'expression de notre opinion. Il ne faut pas faire d'effort pour être différent d'un autre, mais plutôt pour introduire dans le groupe une position ou une idée différente de celles qui ont été exprimées jusqu'à maintenant.

Enfin, le «nous» s'emploie surtout lors de synthèses ou de résumés, vers la fin des réunions, dans le dessein d'exprimer les idées ou positions de l'ensemble des membres.

Le but de toutes ces recommandations générales sur les subtilités du langage est d'éviter tout début de polarisation, tout débat qui ne se ferait qu'à deux, et d'avoir notre place bien à nous sans que les autres se sentent menacés. Cela peut faire que la plupart des membres du groupe tiennent à notre présence parmi eux. Ils sont alors particulièrement disposés à nous écouter et, par le fait même, disponibles à notre influence.

Contextes particuliers

LA PARADE DES CHEFS

Les pièges

Chacun de nous cherche à se faire accepter sinon apprécier par le plus grand nombre possible de membres. Nous voulons occuper la place qui nous revient et montrer que nous avons des ressources dont peut profiter le groupe. Nous avons chacun notre propre tactique pour nous faire une place dans nos groupes de travail. Les quatre portraits qui suivent caricaturent les attitudes les plus fréquentes et les plus problématiques en ce qui concerne nos stratégies en rapport avec la place que nous cherchons à occuper dans un groupe de travail.

Le chef vendeur

Certains d'entre nous vont vers les autres et sourient à tous. Nous disons globalement «oui» à tout et à tous. Nous écoutons les autres avec «ferveur» et faisons beaucoup de signes de tête pour encourager notre interlocuteur. L'important est pour nous d'obtenir de chacun des autres les signes extérieurs, verbaux ou non, à l'effet qu'ils nous acceptent ou tout au moins ne nous rejettent pas. En fait, nous adoptons l'attitude du «vrai vendeur»: tout ce qui compte alors, c'est que le client achète, sans considération de ses besoins réels. Avec cette attitude, les autres membres du groupe (les clients) doivent «acheter» notre personne. Notre produit, c'est nous, et il nous faut réussir à le vendre au groupe. Tant que nous n'obtenons aucun signe direct et évident de rejet, nous continuons notre pression.

Le risque de cette attitude de vendeur est de donner l'impression que nous cachons notre jeu, ce qui peut saper les bases mêmes de notre influence au sein du groupe. Elle peut nous faire perdre la confiance et la crédibilité que les autres nous portent de prime abord. Cette attitude entraîne de la méfiance à notre égard, dans la mesure où notre écoute des autres devient faible, sinon mauvaise, et où ils se rendent compte que nous n'apprécions pas à sa juste valeur ce qu'ils disent ou ce qu'ils font.

59

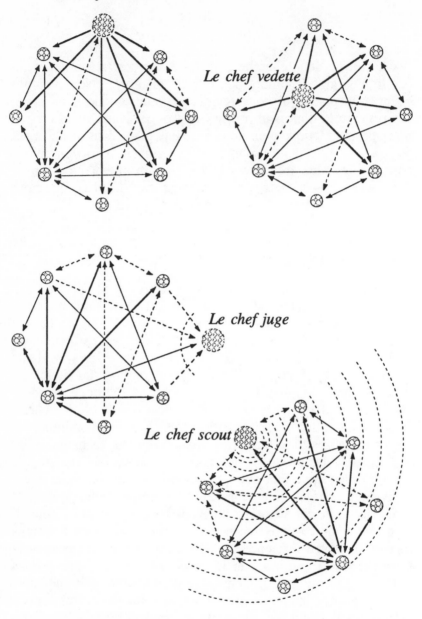

Le chef vendeur

Le chef vedette

Le chef juge

Le chef scout

Nous nous comportons souvent plus en fonction de nos
vieilles habitudes qu'en fonction de ce qu'exige la situation.

Le chef vedette

Ici, nous sommes convaincu que nous pouvons aider les membres du groupe: nous avons de l'expérience et des choses à leur apprendre. De plus, nous voulons être accepté tel que nous sommes, sans concession. Nous sommes très préoccupé d'affirmer nos opinions le plus tôt possible avec fermeté. Nous craignons que nos idées ne soient pas acceptées si nous ne les disons pas vite et fort. Nous écoutons peu. Nous interrompons, réfutons, proposons et insistons beaucoup. Nous exprimons notre désaccord rapidement. Nous disons «oui mais» et nous avons toujours quelque chose à ajouter. D'emblée, nous nous plaçons en opposition. Nous cherchons à entraîner et à diriger. Nous tenons tellement à nos idées que nous oublions de construire avec les autres. Nous sommes alors perçu comme celui ou celle qui veut en remontrer à tous. En fait, nous n'avons pas l'intention de jouer à la vedette: selon nous, ce sont les autres qui nous perçoivent ainsi à tort et nous pensons que «ce n'est tout de même pas notre faute si nous avons beaucoup à leur donner!»

Cette attitude de «vedette» risque elle aussi de créer à notre égard une certaine méfiance, car les gens nous trouvent alors soit trop poli et trop affable, soit trop agressif. D'autres craignent que nous n'adoptions éventuellement un comportement dictatorial. Nous risquons ainsi de susciter des opposants, non à cause de ce que nous disons mais à cause de la façon dont nous le disons.

Le chef juge

Il s'agit là d'une attitude où nous sommes intérieurement convaincu que, de toute façon, chacun fera ce qu'il voudra. Nous restons distant par rapport au groupe. Nous attendons pour évaluer ce que cela donnera. Nous ne nous sentons pas «appartenir» au groupe. Selon nous, chacun est libre et nous aussi. Notre vision du monde est faite de responsabilités individuelles. Aussi, quoi qu'il advienne, nous en ferons à notre tête et «ils seront bien obligés de tenir compte de mon opinion», pensons-nous. Devant des comportements et des idées différents des nôtres, nous nous taisons et nous refermons. Nous craignons la confrontation et évitons de la provoquer. S'ils se trompent, nous pourrons nous en laver les mains, et s'ils ont raison, nous pourrons toujours nous rallier plus tard à leur opinion. En fait, nous voulons tellement rester loin de tout cela que nous ne saurons plus exactement à quoi nous nous rallierons. Nous voulons demeurer peu influençable et nous offrons peu de prise. Il s'agit d'une position de principe du genre «à chacun son job». En conséquence, nous chercherons surtout à protéger nos acquis.

Nous risquons ainsi de perdre des alliances au sein du groupe, des sources d'appui. Nous risquons de cristalliser nos premières impressions des membres et des types de rapports qui existent entre eux. Nous sommes plutôt porté à croire que les gens ne changent pas, n'évoluent pas, ne se transforment pas. Malheureusement pour nous, cette croyance se confirme elle-même. Si nous croyons que les comportements des autres membres du groupe ne peuvent changer, le nôtre ne stimulera certainement pas chez ces personnes le goût de modifier quoi que ce soit. En cataloguant les gens, en définissant trop rapidement les types de rapports que nous entretenons avec eux, nous risquons de perdre de vue les perspectives d'avenir du groupe, sa continuité et l'évolution des rapports entre les gens. Nous oublions que le groupe est là pour atteindre un objectif *futur*.

Le chef scout

Nous adoptons l'attitude de «scout» lorsque nous cherchons constamment à réunir et à rallier les gens sans vraiment tenir compte du contexte et des différences existant entre eux. Nous voulons que tous participent également, que tous soient acceptés. Nous nous sentons même parfois responsable de la bonne marche du groupe et de la bonne entente entre les membres. Nous agissons en «bon père» ou «bonne mère» qui veut protéger ses enfants. En fait, nous craignons la moindre odeur de conflit. Nos interventions partent du principe que si nous faisons quelque chose ensemble les problèmes vont disparaître. Nous cherchons à détourner l'attention des sources de tension potentielles. Nous voulons à tout prix éviter les conflits et réduire la perception qu'ont les membres des différences trop marquées entre les individus. Nous insistons sur nos ressemblances et notre besoin des uns et des autres. Pour nous, tout le monde semble, de prime abord, gentil et bien intentionné. Nous cherchons à faire partager aux autres cette perception. Nous sommes persuadé que si tout le monde partageait notre perception tout irait tellement mieux!

En adoptant cette attitude de «chef scout», nous risquons de ne pas pouvoir utiliser les ressources qui sont liées aux différences entre les membres du groupe. Ces différences sont alors perçues comme des sources de problèmes, d'affrontements ou de compromis au sens péjoratif du terme. Au mieux, nous nous disons qu'il faut bien faire avec puisqu'ils sont comme cela. Cette vision, pourtant tolérante, peut paradoxalement accentuer la rigidité de nos rapports avec les membres du groupe et même parmi les individus entre eux. Bien qu'elle procède d'une bonne intention, elle établit une hiérarchie des styles et des ressources, car celui ou celle qui veut que tous soient égaux risque de signifier indirectement que lui ou elle sait ce qu'il faut faire pour être égaux.

Procédés et tactiques

Augmenter notre capital

La qualité et la quantité d'informations que nous possédons sur chacun des membres du groupe constituent la base de notre influence. Aussi devons-nous chercher à accumuler le plus d'informations possible sur chacun. Nous observerons comment telle personne exprime sa tension, comment telle autre manifeste son écoute ou son retrait. Nous remarquerons également qui regarde qui. Avec toutes ces données, nous serons davantage en mesure d'évaluer l'impact de notre comportement sur les autres à mesure du déroulement des réunions.

Plus nous possédons d'informations, plus nous pouvons choisir quel type de participation nous voulons encourager ou décourager dans le groupe. Par exemple, si nous soulignons le retrait d'un membre en disant: «Il le montre bien qu'il n'est pas d'accord, depuis quelque temps il ne dit rien», nous légitimons en quelque sorte cette façon d'exprimer son désaccord. En revanche, si nous disons: «Comment pouvions-nous deviner qu'il n'était pas d'accord puisqu'il ne disait rien?», nous dévalorisons et décourageons ce type de comportement dans le groupe.

Il faut chercher à reconnaître les gens qui semblent avoir un potentiel d'influence dans le groupe, c'est-à-dire ceux qui sont regardés, écoutés, approuvés par une partie ou par la majorité, ceux qui proposent des idées. Il s'agit d'identifier les personnes à qui les membres du groupe (y compris nous-même) semblent accorder de l'influence. Il est alors préférable de s'asseoir en diagonale, de façon à pouvoir observer les gens et tisser des liens s'il y a lieu. Si cela se passe au tout début de l'existence du groupe, il est important de prendre le temps de s'inclure, c'est-à-dire de se faire accepter par les autres, et ensuite de voir qui ils sont, sans brusquer «les différences de personnalité ou de compétence».

Nous devons prendre le temps de nous faire une idée de la provenance des gens et de leur schème de références (à partir de leur lieu de travail, de leur métier, de leur formation, de leur classe sociale, de leurs préjugés, de leurs valeurs, de leur vocabulaire, etc.), sans préjuger si cette personne est correcte ou non. Il s'agit de nous faire une impression, une idée de cette personne. Il faut la prendre comme une hypothèse valable, mais à confronter avec notre observation future. On doit donc éviter de s'en tenir à cette première impression et maintenir constante notre observation.

En partant de notre observation du groupe, nous essayerons de nous faire une idée de ce qui lui plaît, du genre d'influence qu'il accepte, de ce que sont ses normes. Il faut voir les contraintes ou les ressources que ces normes et ce type d'influence présentent, de façon à pouvoir s'y opposer ou en utiliser, si nécessaire, les points forts ou les points faibles.

Toutefois, nos jugements sur les comportements à valoriser ou à dévaloriser doivent s'appuyer sur une décision consciente de notre part et orientée vers l'atteinte de nos objectifs. Nos attitudes ne doivent pas être seulement une réaction à d'autres personnes. Nous ne devons pas nous laisser déterminer (souvent à notre insu) uniquement par nos premières impressions ou préjugés, que nous devons prendre comme hypothèses de travail et non comme jugement final. En fait, nous devons faire confiance à cette impression mais continuer à ne la prendre que pour ce qu'elle est, c'est-à-dire une impression. Il ne faut pas agir inconsidérément en fonction de nos premières impressions, car nous pourrions nous tromper et entacher gravement notre crédibilité aux yeux des autres. De plus, cela pourrait nous empêcher de découvrir d'autres ressources possibles au sein du groupe, et, par voie de conséquence, nous empêcher de développer d'autres alliances éventuelles.

Nous devons toujours nous rappeler de mettre nos impressions et nos préjugés au service de nos objectifs personnels. Il ne faut pas être esclave de nos préjugés. Nous savons que nous avons besoin de développer nos premières impressions afin de pouvoir juger le plus rapidement possible les autres membres du groupe, mais nous ne devons pas nous laisser déterminer par cela. Nos comportements doivent tenir compte autant de notre expérience de ces personnes avec qui nous travaillons que de nos intentions par rapport à elles. Nous devons tout autant être influencé par le futur que par le passé, demeurer à l'affût d'informations nouvelles pouvant enrichir notre capital. Nous ne devons pas nous fier uniquement aux jugements tirés du passé. Par exemple, si nous n'aimons pas certains types de professionnels et que nous avons affaire à eux dans le groupe, nous devons essayer de les voir comme des individus plutôt que comme des représentants de cette catégorie que nous n'aimons pas. Il faut même essayer de voir en quoi cet individu est différent des autres. Bref, il faut nous comporter de façon à vérifier notre préjugé à son égard plutôt que chercher à le confirmer. Dans la mesure où notre objectif est de développer un maximum d'influence au sein de ce groupe, il faut éviter de nous aliéner quelque participant que ce soit.

Il faut aussi chercher à cerner les préjugés des autres. Pour vérifier les nôtres, nous pouvons faire de l'humour au sujet de ceux-ci ou de ceux que nous croyons que cette personne a développés. Il y a toutefois certaines conditions à cet humour. Pour lui donner un maximum de chances d'être efficace pour notre vérification et de créer une complicité, nous devons: 1) être à l'aise par rapport au sujet; 2) nous sentir libre de parler et de plaisanter; 3) ne pas être agressif dans le ton ni les gestes, pas plus à l'égard de la personne qu'à l'égard du sujet. Par exemple, nous pouvons plaisanter sur la profession. Il s'agit de montrer que nous sommes détaché, à l'aise, au-dessus de ces situations. Si la personne répond par un rire, nous avons réussi à établir une complicité. Si elle ne rit pas, il nous faut alors redevenir sérieux et donner notre opinion sérieusement sur le sujet que nous avons tourné en dérision. Ou encore nous pouvons rire de nous-même et changer rapidement de sujet. Le test est alors passé. Ou bien nous avons développé une complicité, ou bien nous avons confirmé certaines impressions concernant cette personne.

En plus de nous faire une idée de chaque personne, il est aussi nécessaire de mesurer l'interaction des personnes entre elles. Nous devons observer attentivement et évaluer le potentiel de sympathie et d'antipathie entre les gens. L'objectif est de prévoir les alliances ou les conflits avant qu'ils ne se produisent, afin de soutenir ou d'entraver leur émergence selon qu'ils servent ou non nos intérêts. Nous pouvons voir se tisser ces réseaux de sympathie en observant qui s'exprime moins et qui parle beaucoup ou qui contrôle les échanges. Il nous faut noter quelles personnes dans le groupe se parlent souvent pour des choses anodines ou insignifiantes par rapport à l'objet des réunions et quelles personnes en viennent rapidement à des accords. Il faut noter aussi qui plaisante, qui rit avec qui lors des pauses, qui touche qui, etc. Toutefois, il nous faut rester à l'extérieur de tout sous-groupe d'alliances que nous observons, ce qui ne veut pas dire de ne pas établir de contact et de complicité avec les membres de ces sous-groupes potentiels. Au contraire, il faut, si possible, établir des liens, mais il faut éviter que plus tard nous soyons catalogué par le reste du groupe comme un membre de ce sous-groupe.

Lorsque nous donnons notre opinion, il faut regarder l'ensemble du groupe afin de donner l'impression que nous accordons de l'importance à chacun et que nous désirons rejoindre tout le monde. Regarder ainsi l'ensemble des personnes pendant que nous nous exprimons nous permet de voir leurs réactions, leur approbation ou désapprobation, et également de leur faire savoir que nous sommes prêt à recevoir leurs réactions.

Il faut poser des questions, pour avoir le plus d'informations possible, et prendre notre temps avant de réagir. Il est important de nous assurer que nous avons bien compris, mais, plus encore, que les autres pensent que nous voulons les comprendre. Pour ce faire, il ne faut pas réagir trop rapidement ou négativement par crainte d'être attaqué. Réagir prématurément pourrait faire peur aux gens et entraîner chez eux des réactions brusques qui pourraient à leur tour nous choquer et nous rendre la tâche plus difficile. Il faut leur montrer que nous leur accordons du crédit: ils ne nous en accorderont que davantage. Pour réussir à réagir facilement et pour être cru par les autres, il faut procéder honnêtement sur la base d'un maximum d'informations, c'est-à-dire que pour que notre attitude soit crédible aux yeux des autres, nous devons au moins nous croire nous-même.

Laisser passer la parade

La confiance que les autres nous portent constitue la base de notre influence. Les gens doivent nous percevoir comme étant avec eux et capable de servir leurs intérêts. Aussi devons-nous chercher à nous intégrer au groupe. Nous devons échanger des ressources, des informations et des idées avec tous, ou tout au moins avec un maximum de personnes. Nous devons proposer un terrain commun où nos objectifs personnels et ceux du groupe puissent se rencontrer. Il s'agit de passer d'un statut psychologique ou réel d'étranger à un statut de membre à part entière à qui chacun puisse faire confiance.

Avant de chercher à influencer les autres sur les objectifs du groupe, il est préférable de laisser passer la parade des chefs, de commencer par des interactions plus personnelles, et de montrer que nous sommes prêt à donner et aussi à recevoir du groupe. Aussi laisser voir que nous essayons en toute bonne foi de comprendre ce que les autres disent. Cette attitude favorisera à la fois notre intégration et celle des autres. Les gens aiment se sentir compris. Cela leur donne l'impression d'être acceptés à l'intérieur du groupe. Au début surtout de l'existence d'un groupe, chacun veut s'intégrer et être accepté. Même quelqu'un qui assiste à une réunion par obligation veut être accepté tel qu'il est. Ainsi, pour être nous-même accepté, il est habituellement suffisant de montrer aux autres que nous cherchons à les comprendre d'autant plus que les gens deviennent souvent reconnaissants envers ceux qui les ont compris.

Pour être accepté plus facilement par les autres et montrer que nous sommes prêt à être influencé, nous pouvons d'abord faire des propositions que nous accepterions aisément de modifier, puis éviter de défendre nos idées trop longtemps si nous rencontrons de la résistance. Il vaut mieux protéger notre position au sein du groupe, attendre d'avoir abandonné certaines idées que les autres croient importantes pour nous, contribuer à la bonne marche du groupe et être perçu comme un participant utile, et ensuite seulement émettre les idées auxquelles nous tenons le plus. En outre, lorsque nous mettons sur la table ce qui n'est pas négociable, il faut le faire sans jamais attaquer qui que ce soit.

Une autre variante de cette stratégie est d'accepter les idées des autres plutôt que d'en proposer nous-même. Nous attendrons que quelques idées soient exposées, puis nous en choisirons une avec laquelle nous sommes d'accord, mais, plutôt que d'acquiescer tout de suite, nous argumenterons d'abord quelque peu pour souligner l'importance de notre implication. Argumenter un peu sur une idée à laquelle nous ne nous opposons pas vraiment nous met en position de faire des concessions que les autres croient importantes pour nous. En effet, plus nous résistons à une idée, plus les autres pensent qu'elle est importante pour nous. Toutefois, il ne faut pas forcer la note. Abuser de cette stratégie risque non seulement de lui faire manquer son effet mais nous fera perdre un peu de crédibilité.

Nous devons nous rappeler que les gens ont tendance à juger d'après les intentions qu'ils nous prêtent. Un indice que nous abusons de cette stratégie est toute allusion de nos coéquipiers au fait que nous finissons toujours par être d'accord, et donc que la discussion n'est que perte de temps. Il faut alors cesser de nous opposer et nous rallier de façon claire. En fait, cette stratégie ne devrait être employée qu'une fois ou deux mais de façon que tous sentent que nous venons de changer d'idée pour rejoindre l'opinion de l'ensemble du groupe. En fait, l'objectif est de montrer à tous que nous savons nous rallier et construire sur les idées des autres lorsque c'est nécessaire. De cette façon, nous créons les conditions qui permettront éventuellement à tous d'adopter notre point de vue sans perdre la face.

Pour que cette stratégie fonctionne il faut faire bien comprendre au groupe que nous sommes prêt à nous rallier à ses décisions puisque ce qui compte pour nous est d'atteindre les objectifs qu'il s'est fixés. En conséquence on se montrera accessible aux critiques sans s'empêcher d'émettre une opinion. Il nous faut établir la confiance.

Il est préférable de nous asseoir de façon à voir tout le monde, afin de pouvoir aisément observer et écouter l'ensemble des gens. Nous montrons ainsi qu'il est important pour nous de voir et d'entendre chaque personne. Cela valorise chacun. Les membres du groupe nous rendront spontanément la pareille en nous écoutant à leur tour. Nous augmentons ainsi notre potentiel d'influence au sein du groupe. Aussi, si nous ne voyons pas tout le monde, il ne faut pas hésiter à changer de place ou à faire un effort pour regarder ceux que nous ne voyons pas bien. De même, il faut demander de répéter si nous n'avons pas bien compris l'intervention d'une personne. Il faut poser des questions, particulièrement à ceux que nous avons de la difficulté à voir, ou encore il faut faire remarquer que certaines personnes n'ont pas encore émis leur opinion et qu'il serait bon de leur en laisser la chance. Ceux qui auront pu ainsi s'exprimer, après notre intervention, nous porteront probablement une écoute plus attentive lorsque nous nous exprimerons à notre tour. Nous devons montrer qu'il est important d'écouter, et de porter une attention toute particulière aux différences entre les opinions émises dans le groupe.

LE COMBAT DES COQS

Les pièges

L'évitement de front

Lors de nos réunions de groupe, nous nous asseyons généralement le plus loin possible des personnes avec qui nous sommes
en conflit. Nous cherchons à nous éloigner des gens qui nous
dérangent, mais plusieurs inconvénients résultent de cette façon
de faire.

Physiquement d'abord, nous cherchons toujours à nous placer
en face des sources de danger et à côté des éléments plus sûrs
du groupe. Aussi, plus nous tenons à distance les personnes qui
nous sont antipathiques, plus nous avons tendance à nous asseoir
en face d'elles plutôt qu'à côté. Notre capacité de les percevoir
autrement diminue alors grandement, car, ainsi placé, nous ne
sommes pas en position pour développer une complicité avec
ces gens, mais plutôt pour accentuer le conflit. Il nous faut jouer
avec cette tendance naturelle à placer à côté de nous nos
complicités les plus sûres et en face les éléments les plus
incertains. Il faut nous servir de cette tendance naturelle plutôt
que d'être mené par elle. Ainsi, il est préférable d'éviter de
nous asseoir en face des gens avec qui nous pressentons certains
problèmes, car cette position nous amènerait plus aisément à
confirmer cette première impression.

Trop souvent, lorsque nous sommes en conflit avec une
personne, nous avons tendance à négliger le contenu de ses
interventions. Nous parlons avec d'autres pendant qu'elle s'exprime. Notre attention est mobilisée par la seule dimension
émotive des échanges. Nous ne nous rappelons plus exactement
ce qu'elle vient de dire et nous ne faisons aucun effort particulier
pour nous en souvenir. Nous ne l'écoutons pas vraiment, mais
nous la surveillons bien. Ses gestes ne nous sont pas indifférents.
Nous sommes ainsi bien plus sensible au fait qu'elle intervienne
qu'au contenu de ses interventions.

Pourtant, malgré notre sensibilité intérieure au conflit, nous
cherchons à nier l'existence même de ce conflit, peut-être par
peur d'être visé ou impliqué dans ce conflit ouvert. Nous
affirmons alors, aux autres comme à nous-même, que tout va
bien et qu'il n'y a rien qui vaille la peine qu'on s'en préoccupe.

Extérieurement, nous sommes d'une très grande politesse. Nous prétendons que, de toute façon, ce n'est pas nous qui sommes en conflit avec l'autre mais l'autre avec nous. Ainsi, c'est l'autre personne qui est visée; c'est elle qui a un problème. Nous ne voyons plus le membre de l'équipe, nous commençons à viser la personne, laquelle ne pourra alors que chercher à se défendre, sinon à nous attaquer directement à son tour.

En groupe, nous concentrons souvent nos énergies sur une ou deux personnes, au détriment de notre interaction avec les autres membres.

Nous la tenons sous une surveillance constante. Par le fait même, elle prend une très grande importance à nos yeux. Elle devient une source de danger, l'«ennemi». Plus le temps passe, plus nous nous opposons souvent à ce qu'elle propose. En fait, suite à quelques remarques de sa part, nous anticipons son opposition systématique à toutes nos propositions et nous attaquons le premier. À tout le moins, nous ne faisons rien qui soit de nature à diminuer le conflit ou à nous permettre de la percevoir autrement. Quoi qu'il arrive, nous voulons sortir gagnant de la situation. Aussi, par peur de perdre, nous ne voulons surtout pas être influencé par cette personne. Nous considérons que son influence est nécessairement négative.

Nous divisons le groupe en deux: ceux qui sont avec nous et ceux qui sont avec l'autre. Entre les réunions, nous cherchons les alliés et les ennemis. Nous voulons surtout nous protéger.

Nous nous construisons un château fort pour contrer toute attaque. Le but est de nous défendre, de ne pas avoir tort pour ne pas être rejeté. Pour nous rallier d'autres membres du groupe, nous misons à notre tour sur leur peur d'être rejetés. Toutes ces «négociations», tous ces «marchandages émotifs» ont lieu à demi-mot, presque à notre insu et de façon cachée.

La tension de Ponce Pilate

Pendant les réunions, la pression monte d'un cran à chaque tour de parole. Les membres du groupe ressentent un malaise confus et ont l'impression de tourner en rond. Chacun sent que quelque chose dévie l'énergie du groupe. C'est épuisant. Sans savoir exactement pourquoi, chacun se trouve mal à l'aise face aux personnes en cause. Nous sommes alors tous un peu gênés par la situation.

Nous en concluons alors tous, mais presque toujours chacun pour soi, qu'il s'agit d'un conflit de personnalités. Cela confirme que personne ne peut rien y faire, qu'il s'agit d'une «antipathie naturelle». D'une certaine façon, cela nous apaise puisque la situation n'est plus imputable à personne et que nous n'avons plus à chercher de solution car il n'y en a pas. Le conflit, une fois défini comme un conflit de personnalités, devient immuable et presque fatal, et alors aussi bien l'accepter! De plus, la croyance que dans un groupe il faille un seul chef et que le fait d'être chef soit essentiellement une question de personnalité alimente cette attitude démissionnaire. Nous pouvons même prétendre que ce sont les personnes en conflit qui sont victimes de cette croyance du groupe, plutôt que le groupe victime de leur conflit, puisque, à la longue, elles forcent à un combat des chefs où il doit y avoir un gagnant et un perdant. Malheureusement, les ressources du rival défait sont alors automatiquement perdues pour le groupe.

Pendant que les aspirants au statut de «chef» jouent les gladiateurs, on assiste à une démobilisation au sein du groupe. Le spectacle ennuie. Chacun s'en lave les mains et attend que cela finisse. Ce n'est pas «leur» problème: «C'est à cause d'eux si ça ne va pas bien, il n'y a rien à faire.» Chacun s'habitue à ce que les protagonistes discutent sans fin. Cette attitude à la

Ponce Pilate est rentable à très court terme et elle soulage. À long terme, cependant, elle est strictement improductive sur le plan de notre influence personnelle et dangereuse pour la vie du groupe.

Il y a risque de formation de clans. Il s'agira ici de pseudo-clans, car la solidarité entre les membres d'un même clan n'est pas très forte pour l'instant. En fait, nous choisissons notre coq, notre porte-drapeau, notre étendard, notre chevalier. Nous choisissons le chef sans penser au clan qui va se former. Nous choisissons quelle personne nous voulons appuyer et nous laissons les aspirants au titre se battre à notre place pour défendre telle ou telle opinion. Nous ne voulons ni créer une guerre ouverte ni affronter nous-même les critiques ou commentaires de l'autre partie. Mais à travers le conflit entre les quelques volontaires, ce sont inévitablement deux sous-groupes qui s'affrontent. En un sens, c'est moins coûteux pour le groupe puisque, si cela tourne mal, il ne perdra probablement qu'une partie de ses membres au lieu de se dissoudre. Mais cela demeure une piètre solution.

Dans ces moments-là, la tension règne. Nous entendons des commentaires tels que: «Cela vole bas.» Tout se passe comme dans une partie de ping-pong. Les réponses se font du tac au tac, vite. Nous voulons alors appuyer sur le frein, soit que nous souhaitions une pause en espérant qu'un repos viendra de façon magique régler le problème, soit que nous voulions absolument en finir avant de passer à autre chose. Dans ce dernier cas, nous voulons clarifier la situation, mais la plupart du temps le conflit ne se résout pas. Au contraire, la fatigue aidant, souvent la situation s'envenime.

Procédés et tactiques

Le «relais»

Influencer veut souvent dire prendre des risques. En cas de conflit, il s'agit de ne pas rester simple observateur. Il faut s'impliquer soi-même ou encourager une tierce personne à prendre la position d'intermédiaire, c'est-à-dire à tenter des interventions qui pourraient reformuler ou rapprocher les positions des parties; si nous nous sentons écouté par les deux parties, nous pouvons intervenir nous-même. Pour nous encourager à le faire, nous n'avons qu'à penser aux conséquences probables si personne n'intervient et à nous rappeler que, de toute façon, la situation ne peut qu'empirer.

Ainsi, la première chose à faire avant d'intervenir dans quelque sens que ce soit est d'identifier une personne qui puisse être écoutée par les deux parties ou de nous assurer d'être nous-même un intermédiaire crédible. Cet intermédiaire doit pouvoir servir de canal d'influence, être une personne écoutée par tous et à qui tous puissent parler. Il doit être une personne avec qui notre relation d'influence semble relativement claire. Idéalement, il doit être quelqu'un pour qui le processus d'influence est un jeu, un plaisir, une construction plutôt qu'un affrontement.

Cette personne «relais» sert à garder quelques portes ouvertes. Elle constitue une sorte de ceinture de sécurité. Elle permet de trouver un terrain de rencontre et d'influence. À la limite, cet intermédiaire permet de clarifier le conflit dans la mesure où nous pouvons croire qu'il saura traduire les deux positions en termes acceptables.

Mieux vaut choisir nous-même cette personne relais avant qu'elle ne se présente elle-même aux autres. Identifier son potentiel de conciliation avant qu'elle ne le manifeste directement permet de lui ouvrir le chemin et de lui assurer assez d'espace et de crédibilité pour qu'elle puisse intervenir. Un conciliateur a plus de chances de réussir s'il est nommé par les parties que s'il se nomme lui-même. Sinon il pourrait n'être perçu que comme une personne de plus qui essaie de prendre parti et d'influencer. De plus, en soulignant son apport à la bonne entente et au bon fonctionnement du groupe, nous pouvons voir notre propre crédibilité augmenter dans la mesure même où cette personne est appréciée par tous.

Le contrôle

En dehors de la mise en place de la personne relais, l'objectif de toutes nos interventions doit être de contrôler le conflit tout en conservant ou en augmentant notre crédibilité, un peu comme on contrôle une infection: il faut l'empêcher de se développer en tension chronique qui viendrait nuire aux interactions constructives et satisfaisantes.

Cependant, tout comme il serait impensable de vivre sans jamais se salir, il est impensable de travailler en groupe sans que ne surgissent quelques frictions. Les conflits sont inévitables, ils constituent en quelque sorte l'indice que la machine est encrassée. Bien sûr, il faut contrôler l'accumulation de saleté, c'est une question d'hygiène, mais contrôler n'est pas censurer ou interdire. De même, pour prendre plaisir au travail de groupe, il faut tolérer une certaine dose de tensions puis nettoyer le paysage périodiquement. Le point d'équilibre entre l'entretien continuel et la négligence dépend du type d'interventions qui sont faites lors des moments de tension. Influencer le fonctionnement d'un groupe, c'est en grande partie veiller à cet équilibre. En termes constructifs, contrôler un conflit, c'est réduire la peur du rejet des membres du groupe en créant un climat de détente. Plus une personne réussit à apaiser cette peur, plus elle assure une base émotive solide à son influence.

Si le conflit n'est que larvé mais s'il constitue cependant un obstacle pour atteindre les objectifs du groupe, il ne faut pas affronter directement les parties ni essayer d'empêcher les oppositions de s'exprimer, car nous risquons d'être rejeté par l'ensemble du groupe. Il faut plutôt construire sur leurs idées respectives et chercher à regrouper les éléments complémentaires. Surtout, ne pas personnaliser les idées. Nous devons plutôt chercher à les dépersonnaliser en nous les appropriant. Faire comme si chaque idée lancée dans le groupe était publique, telle une image sur la table. Il faut tenter d'en faire quelque chose qui appartienne au groupe en agissant comme si chaque idée n'appartenait plus à personne mais à l'ensemble du groupe.

Si nous-même sommes tenté de nous opposer à certaines personnes influentes au sein du groupe, il faut, dans la mesure du possible, nous contrôler afin d'éviter tout affrontement direct, nous retenir durant quelque temps d'exprimer toute marque d'hostilité. Pour compenser cette retenue, nous pouvons faire un effort conscient pour porter notre attention sur nos complicités. Il s'agit de mettre de côté momentanément cette relation de compétition pour nous concentrer sur nos relations de collaboration au sein du groupe. Cet effort est rarement spontané. Pour le rendre plus facile, nous pouvons temporairement réduire les contacts directs avec la personne avec laquelle nous craignons d'être en conflit en nous asseyant en diagonale par rapport à elle.

De plus, il nous faut porter une attention particulière à nos interventions afin qu'elles portent sur l'objectif du groupe et non sur cette personne. Il faut nous adresser à tous, car si nous influençons l'ensemble des autres participants, nous contrôlons par là même les opposants à notre idée. Dans un grand rassemblement où il y a peu d'interactions entre les gens, par exemple une assemblée délibérante, contrôler les rebelles veut souvent dire contrôler l'ensemble. Dans un petit groupe où les interactions sont nombreuses, la règle s'inverse. Contrôler l'ensemble, c'est contrôler les opposants. Ce qui importe pour nous en situation de conflit réel ou potentiel, c'est d'influencer le groupe dans son ensemble et non seulement les quelques individus impliqués dans une opposition momentanée.

Décristalliser

Par la suite, il nous faut éviter que s'installe une discussion entre une personne particulière et nous. Si quelqu'un tente de provoquer une opposition plus soutenue entre nous et lui, il ne faut pas éviter son regard lorsqu'il parle. Il ne faut pas lui donner l'impression que nous voulons l'éviter ou que nous craignons son influence. Il faut plutôt adopter un comportement d'ouverture et d'écoute. En adoptant un tel comportement (même si intérieurement nous aurions plutôt envie de faire le contraire), nous pouvons à la fois nous influencer nous-même et influencer l'autre. En l'écoutant de la sorte, nous pouvons apprendre de nouvelles informations (voir la personne comme une saine opposante plutôt que comme une rivale dangereuse).

Il nous faut éviter de cristalliser les canaux d'influence en place. Il est préférable de chercher à les diversifier en essayant de changer les habitudes d'interaction entre nous et les personnes qui sont en opposition avec nous. Nous devons briser le rythme des interactions et éviter les escalades qui nous feraient perdre notre contrôle. Par exemple, lorsqu'une personne s'oppose continuellement à nos idées, il est préférable de nous asseoir à côté d'elle et d'essayer de plaisanter avec elle. Il s'agit de démontrer que nous n'en faisons pas un conflit personnel et que même si nous sommes en désaccord sur des idées ou sur une façon de participer, nous ne sommes pas opposé à elle en tant que personne.

Selon la même logique, il faut éviter de reproduire le même type d'échanges conflictuels lors de rencontres informelles à l'extérieur des réunions (repas, pauses, etc.). Il vaut mieux tenter de dénoncer l'opposition avec humour et complicité. Éviter d'employer le terme de conflit ou tout autre synonyme. Ici encore, il s'agit de montrer qu'il n'y a pas conflit personnel mais simplement divergence d'idées ou de façons de procéder. Il faut toujours dédramatiser le plus possible la situation. Il ne faut pas que quelqu'un réussisse à se servir de ce désaccord pour cristalliser nos relations au sein du groupe, car nous deviendrions alors un gladiateur au service de certains membres du groupe, nous donnant en spectacle pendant que les autres nous regarderaient nous battre.

En parlant avec les autres, nous pouvons mieux comprendre ce que l'autre partie veut amener et ainsi mieux répondre à leurs besoins ou arguments. Après avoir écouté, nous ferons de nouvelles propositions. En fait, il s'agit de laisser les autres discuter avec les opposants et de voir s'il n'y en a pas d'autres qui s'opposeront et qui pourraient jouer les intermédiaires. Il peut y avoir dans le groupe des personnes qui ne nous sont pas antipathiques et qui semblent pourtant rejoindre celles avec qui nous sommes en opposition. Elles seraient les mieux placées pour nous servir de relais, de canaux d'influence et pour faire comprendre nos idées à l'autre partie. Si la discussion s'installe, nous la laisserons se polariser quelque peu pour ensuite poser des questions aux personnes impliquées, mais aussi à d'autres membres, afin de sortir de cette polarisation.

LA DICTATURE

Les pièges

Une seule personne ou un petit noyau de personnes peut parfois contrôler le développement d'un groupe. Dans ce cas, il n'y a habituellement qu'un sous-groupe ou une seule personne entourée de gens plus ou moins isolés entre eux. Toutes les interventions visant à influencer le fonctionnement du groupe dans la recherche de ses objectifs sont monopolisées par ces gens. Il n'y a pas ici de polarisation entre membres, puisqu'il n'y a qu'un seul pôle. Nous ne sentons pas véritablement de conflit puisque l'influence est centralisée. En fait, il serait tout aussi juste de définir cette situation en disant qu'il s'agit d'un groupe où il n'y a pas d'opposition véritable.

L'abandon

Ayant l'impression que, si nous ne faisons pas partie du sous-groupe qui contrôle tout, nous ne pouvons pas avoir d'influence sur ce qui se passe, nous laissons aller les choses. Ce laisser-aller constitue le principal piège de ce genre de situation. Il découle en grande partie du préjugé négatif que plusieurs d'entre nous entretenons à l'égard de tout ce qui touche au pouvoir ou aux conflits dans un groupe. En effet, lorsque nous jugeons ces personnes qui cherchent ouvertement à influencer, nous sommes porté à croire que, dans ce genre de situation, il nous faudrait entrer en conflit pour changer quoi que ce soit. Aussi les laissons-nous faire en attendant que cela finisse. Nous les laissons monopoliser l'influence. Nous les laissons débattre et décider à leur guise. Nous n'avons pas l'impression que nos compétences sont perçues.

Nous avons tendance à réduire le nombre de nos interventions auprès des membres du noyau d'influence. Nous croyons que nous ne serons pas écouté, donc nous parlons peu. Nous nous isolons, nous nous refermons sur nous-même et nous oublions que nous avons quelque chose à dire. Nous ne nous percevons pas comme un membre qui pourrait être influent. Nous suivons, nous nous conformons aux décisions. Nous disons à qui veut bien l'entendre que nous ne sommes pas là pour argumenter dans le seul but d'avoir raison.

Pendant ce temps, notre fatigue et notre frustration augmentent, confirmant notre préjugé initial à l'égard de ces personnes. Plus le temps avance, plus nous les trouvons désagréables, et moins nous avons envie de les affronter, car ce serait, à nos propres yeux, un peu nous identifier à elles. Pourtant, notre agressivité et notre frustration transparaissent certainement à notre insu. Pendant que certains monopolisent la conversation, nous serons plutôt maussade, boudeur...

Nous laissons souvent le monopole des interventions à une ou deux personnes.

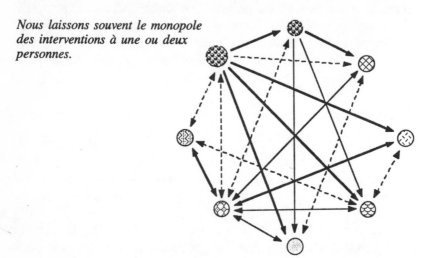

Le climat général du groupe devient lourd et démobilisant. Tout le monde en souffre. Puisque nous percevons les autres comme n'étant pas intéressés, nous renonçons à toute initiative: «Qu'est-ce que cela donnerait? De toute façon, ils sont plus forts.»

Selon nous, ils font ce qu'ils veulent quand ils le veulent et les décisions prises ne tiennent pas compte des désirs de l'ensemble du groupe: les «minorités» ne nous paraissent pas respectées. Les décisions nous semblent représenter surtout les intérêts de ce noyau central. Cependant, il faut reconnaître que, d'une certaine façon, le noyau central ne peut tenir compte d'une opposition qui n'existe pas. S'il y a dictature au sein d'un groupe, c'est en partie parce qu'il n'y a pas d'opposants, pas de rebelles, et que personne ne veut jouer ce rôle sous prétexte de ne pas vouloir être directif à son tour.

Il existe de bons indices qui montrent qu'un groupe est sous l'emprise d'une sorte de dictature: l'esprit de groupe s'effrite; il y a un manque de solidarité et les membres extérieurs au clan ne se sentent plus valorisés ni respectés; les décisions sont prises rapidement mais se concrétisent de plus en plus difficilement. L'effet est le même que sous une dictature politique véritable: les gens se taisent, l'agressivité s'exprime de façon passive, on boycotte en attendant qu'il se passe quelque chose, qu'un «sauveur» vienne défendre nos intérêts, ou encore, plus simplement, nous attendons notre congé pour aller à la pêche...

La contradiction

La plupart du temps, lorsqu'il y a dictature d'une personne ou d'un clan sur un groupe, il y a contradiction entre les normes officielles du groupe et les normes réelles ou implicites. Les règles publiques que tout le monde proclame à voix haute et celles qui régissent notre propre comportement sans que personne n'ose les dire ne sont pas les mêmes. Par exemple, le groupe valorisera dans son discours l'égalité de tous et le respect des opinions de chacun comme si nous étions tous membres d'une même grande famille. Pourtant, si nous voyons que certains membres exercent une certaine forme de dictature sur le reste du groupe, nous nous percevons plutôt, nous et les autres, comme des simples soldats. Nous ne nous sentons pas véritablement concerné. En fait, dans un tel cas, nous faisons semblant d'être une famille. Nous nous disons qu'au pire ils seront responsables des conséquences et qu'au mieux cela va bien fonctionner et que nous en profiterons. Nous n'osons plus nous opposer car nous croyons que ce serait remettre en question le discours de bonne entente qui prévaut publiquement. Nous nous sentons victime de leur influence. Nous parlons alors seulement à ceux que nous percevons aussi comme des «victimes», mais jamais à plusieurs à la fois. Nous demeurons isolé. Nous n'osons pas vraiment vérifier si nous sommes plusieurs à partager ce sentiment, mais nous finissons par dénigrer les personnes qui composent le noyau. Nous souhaitons qu'avec le temps, de façon quasi magique, ils finissent par comprendre.

Toutes ces contradictions entre les normes officielles et les normes réelles peuvent avoir pour effet, à la longue, de créer une certaine paranoïa et d'entraîner une division au sein du groupe. Un sentiment de mépris peut s'installer entre les membres du clan et les autres personnes. D'un côté, les premiers nous trouveront passifs, inutiles, faibles. De l'autre côté, nous les trouverons arrogants, manipulateurs et prétentieux. Certains membres du groupe peuvent tout comme nous avoir l'impression qu'une ou l'autre des parties pourrait être absente et que cela ne ferait aucune différence. Le monologue d'une même personne ou d'un même sous-groupe n'entraîne ici aucune réponse ou réaction, comme si tout le monde était ficelé. En conséquence, comme nous ne participons pas activement aux décisions et que nous n'apportons pas notre contribution, nous ne recevons émotivement que très peu des autres, sinon peut-être l'impression d'être réduit à l'état de marionnette.

Procédés et tactiques

Faire fondre le noyau

Dans les situations où une personne ou un petit groupe exerce un ascendant marqué sur l'ensemble du groupe, notre objectif principal doit être de décristalliser le ou les réseaux d'influence en place. Nos interventions viseront à fondre les sous-groupes dans l'ensemble, mais toujours en évitant de viser les personnes. Il s'agit d'essayer de créer un contexte de discussion où les ressources et les intérêts des membres seront mis à contribution. Il faut faire porter le débat sur les idées et non sur leur provenance (personnes, noyau, etc.). En bref, il faut tenter de remettre le mouvement dans la bonne direction.

Pour ce faire, nous commencerons par éviter de nous asseoir toujours à la même place. Changer nous permet de regarder le groupe de différents points de vue et ainsi de mieux écouter et comprendre ce que chacun peut lui apporter. Il faut s'asseoir tantôt près d'une personne avec laquelle nous avons certaines affinités et qui a de l'influence dans le groupe, tantôt auprès de gens qui influencent moins. Lorsqu'il y a un sous-groupe,

86

il faut s'asseoir près du réseau, du clan, plutôt que près du leader. Plus précisément, nous tenterons de nous asseoir près du «lieutenant», c'est-à-dire près d'une personne qui a tendance à exprimer son opinion surtout pour appuyer les propositions du leader plutôt que pour proposer elle-même de nouvelles idées. Cette personne nous servira à élargir notre propre réseau de contacts et d'influence. Dans la mesure où nous parviendrons à établir une certaine complicité avec elle, elle nous permettra de développer nos alliances et de nous rapprocher du réseau en place.

Chaque fois qu'un membre du noyau central s'exprime, nous devons le regarder puis regarder les autres comme si nous étions nous-même un membre de ce noyau, et ce, que nous en faisions partie ou non. Cela nous permet d'observer les réactions des autres face aux idées et aux opinions exprimées et aussi d'être perçu petit à petit par les autres comme un relais entre les plus influents et les moins influents. L'important est toujours de maintenir notre relation avec tous, ou tout au moins avec un grand nombre de membres. Il ne faut surtout pas nous refermer sur ce noyau central, mais plutôt chercher à faire que chacun ait sa place et sa chance d'influencer. Nous limiter à développer une complicité avec certains membres influents nous ferait sûrement perdre notre crédibilité auprès des autres membres du groupe.

Lors des pauses, il faut tenter de nous entretenir avec les gens à qui nous parlons le moins durant les réunions. Il ne faut pas nous en tenir à nos alliances. Nos interventions doivent tendre à renforcer nos alliances incertaines ou plus faibles. Nous devons recueillir les opinions et développer une certaine forme de complicité interpersonnelle. Ainsi, le moment venu, nous serons en meilleure position pour inviter chacun à exprimer et à clarifier son opinion au sein du groupe. Nous nous serons alors fait des alliés potentiels.

Nous devons toujours nous montrer intéressé à ce que plusieurs idées circulent dans le groupe, poser des questions à ceux qui parlent moins ou pas du tout. Pour nous, à ce moment, l'important ne doit pas être de trouver la meilleure idée mais de faire exprimer le plus d'idées possible. Il ne faut pas perdre de vue que notre objectif est d'établir de nouvelles alliances et de consolider les anciennes.

Il faut chercher à développer les idées quelle que soit leur provenance. Il faut demander que les idées soient précisées, comprises et analysées par l'ensemble du groupe. Si les idées émises proviennent surtout des membres du noyau ou du membre le plus influent, il faut chercher à favoriser les interactions et vérifier l'accord de l'ensemble du groupe, surtout s'il s'agit d'une décision. Il s'agit de créer une certaine opposition, car il est essentiel que les idées s'opposent pour que nous puissions adopter la position de celui qui rallie les suffrages. Il ne faut pas nous opposer nous-même mais faire en sorte que les autres s'expriment et que soient mis en évidence les différents points de vue. Toutefois, il faut éviter que ne se crée une polarisation sur deux idées. Il faut attendre que plusieurs idées aient été émises avant d'en relever les différences, et plutôt tenter de les réunir en une nouvelle idée qui puisse satisfaire les parties. En fait, il faut souligner auprès de tous les membres ce que chacun peut apporter de différent, mais ne relever ces différences publiquement qu'après que plusieurs personnes se seront ex-primées. Par la suite, s'il est proposé par nous ou quelqu'un d'autre une idée qui de prime abord semble rallier l'ensemble, il faut nous assurer que les gens sont bien informés des consé-quences, c'est-à-dire qu'ils se rallient vraiment.

Nous devons pour nous-même tenter de comprendre quels intérêts servent ces idées. Sont-ils conformes aux objectifs du groupe dans son ensemble? Si nous croyons que non, nous devons faire part au groupe de nos craintes et de nos hésitations.

Montrer les différences

Globalement, dans une situation de dictature, il faut chercher à retarder le moment des prises de décision du groupe en reformulant les diverses idées émises et en nous assurant que l'information est claire et précise et que tous ont compris chacune des idées et leurs enjeux. Il nous faut soulever, par nos reformulations, les questions, les doutes et les hésitations que nous avons sentis chez les membres du groupe, sans jamais toutefois donner d'indices d'une quelconque évaluation de la personne qui a émis ces signes. Nous devons demeurer descriptif lorsque nous portons à l'attention de l'ensemble les réactions de certains. Paradoxalement, ralentir ainsi le processus des prises de décision fera gagner du temps car les décisions prises seront moins remises en question, ce qui ne peut qu'accroître notre cote de crédibilité et notre influence au sein du groupe. Il faut chercher à entraîner le plus de gens possible dans les prises de décision et à responsabiliser l'ensemble des membres, ne pas discuter d'une idée avec la personne qui l'a émise mais la ramener le plus tôt possible au niveau de l'ensemble du groupe.

Nous pouvons aussi souligner calmement les contradictions entre les membres du noyau, ou encore entre les positions prises par ces personnes et les objectifs qu'elles disent poursuivre. Mais attention, il ne s'agit pas d'évaluer les personnes ni d'y mettre une intonation négative. Le contenu de l'intervention doit demeurer descriptif et viser simplement à obtenir une réaction des membres. Il ne s'agit pas non plus de proposer des solutions à ces contradictions, du moins pas dans l'immédiat. Il s'agit plutôt de susciter le débat entre les parties et d'éviter la cristallisation d'un noyau. Les débats permettent de peser toutes les décisions afin que toutes les ressources soient utilisées et qu'une mobilisation de tous s'effectue autour des décisions prises dans le groupe.

Rappelons une dernière fois qu'il nous faut soulever les problèmes sans jamais remettre en question ou attaquer les personnes, si nous voulons que ces mêmes personnes nous accordent, plus tard, crédibilité et influence.

LES CLANS

Les pièges

La formation de clans au sein d'un groupe dénote l'existence de différences marquées entre des sous-groupes ou entre des personnes. Ces alliances ou ces oppositions entre sous-groupes risquent de se cristalliser, de se polariser et de devenir permanentes. Les différences entre ces clans peuvent être dues au comportement de chacun, à sa façon d'être et d'intervenir en groupe, ou à des divergences idéologiques. Ces clans peuvent être constitués d'une seule ou de plusieurs personnes. Une personne peut être la représentante d'un groupe externe au groupe qui se réunit. Il peut y avoir des luttes de clans qui s'expriment à travers certaines oppositions individuelles entre des membres du groupe. Cela peut se produire, par exemple, dans certaines équipes multidisciplinaires. Les travailleurs sociaux, les infirmières ou les médecins peuvent, en tant que représentants de leur corps professionnel, entraîner des préjugés qui peuvent à eux seuls empêcher le groupe de se lier.

Trop proche, trop loin

Nous nous asseyons près des gens avec lesquels nous avons déjà des affinités, pour lesquels nous ressentons une sympathie spontanée ou avec lesquels nous avons constaté une similitude dans la façon d'intervenir ou dans le choix des valeurs. Nous cherchons à retrouver des gens qui confirment ou reproduisent nos comportements. Cela s'explique par notre désir d'avoir, avec un minimum d'effort, des liens d'appartenance avec au moins quelques personnes. D'emblée, nous avons l'impression que le fait de nous asseoir près de gens qui nous sont moins familiers deviendrait source d'inconfort. Aussi avons-nous naturellement tendance à éviter cette position. Nous oublions qu'elle pourrait constituer un avantage.

Assis près de gens que nous aimons bien, nous échangeons des propos que les autres membres du groupe n'entendent pas ou ne peuvent pas comprendre. Implicitement, nous excluons les «autres». Cela nous apporte du plaisir très rapidement et sans effort. De plus, ces échanges «secrets» procurent une relative impression de pouvoir. Les enfants connaissent bien ce jeu: «Je te dis un secret, ne le dis pas aux autres.» Nous prenons ainsi de l'importance aux yeux des autres: nous avons quelque chose qu'ils n'ont pas. Bien sûr, nous n'agissons pas volontairement, mais ce sont justement ces petits gestes spontanés qu'il faut maîtriser pour accroître notre potentiel d'influence.

Nous nous appuyons mutuellement, sans égard aux répercussions sur la tâche à accomplir et sur les «autres», c'est-à-dire que, quelle que soit notre opinion personnelle, si c'est un complice, une personne sympathique ou un ami, nous l'appuyons ou du moins nous ne nous opposons pas à lui. Nous expliquons aux «autres» la position de l'allié plutôt que de le questionner. Nous ne sommes jamais contre. Inconsciemment, nous risquons de nous construire un ghetto: il y aura alors «nous» et les «autres». Des pactes s'établissent: «Je t'appuie et tu m'appuies.» Peu importe le contexte, l'important c'est le pacte, lequel n'est pas nécessairement conscient. Il est même, la plupart du temps, implicite et spontané. L'influence que nous rapportent ces alliances de sous-groupes informels nous semble plus importante que notre influence sur l'ensemble du groupe. Nous passons du stade de la simple alliance à celui de la création d'un clan, d'un ghetto professionnel, social, politique, sexuel ou autre, au sein du groupe. Il s'installe alors un jeu de gagnant/perdant où chaque sous-groupe informel cherche à faire passer ses idées en s'opposant aux idées des «autres».

Nous laissons souvent le groupe se scinder en deux ou trois clans.

94

Par la suite, faute d'échange d'informations nouvelles entre les différents clans, faute de valorisation commune d'un objectif de groupe, les «autres» deviennent pratiquement l'«ennemi». Pendant ce temps, nous oublions que nous aussi devenons à leurs yeux un représentant d'un sous-groupe ennemi. Être gagnant devient notre but. Concrètement, les objectifs officiels du groupe passent au second plan. Chaque décision, chaque action n'est plus considérée qu'en fonction de ce jeu de gagnant/perdant. Nous pensons à court terme. Nous oublions qu'un jour nous serons peut-être à notre tour dans le camp des perdants.

Nous perdons de vue que les autres peuvent avoir quelque compétence. En tout cas, nous ne la prenons pas en considération devant eux et nous en doutons parfois ouvertement. Nous utilisons des expressions comme: «Ils se prennent pour d'autres», ou encore: «Ils ne connaissent rien.» La méfiance, la division et l'agressivité risquent alors de s'installer dans le groupe à cause du refus des idées provenant des autres. Cette tension, cette agressivité n'est pas toujours apparente; elle est souvent insidieuse et passive. L'agressivité et la rancœur des perdants, le mépris ou la culpabilité des gagnants s'accumuleront jusqu'à menacer l'existence même du groupe.

Cette tension entre les sous-groupes se manifeste par le manque d'échanges, le peu de développement d'affinités entre les personnes de différents clans, le peu de ressources partagées et l'absence de construction sur les idées des autres. Il n'y a plus de terrain commun où pourrait être clarifiée la situation. Tout paraît gros aux yeux de certains car il y a accumulation de préjugés. Tout se passe à deux niveaux: le dit et le sous-entendu. Nombre d'interventions ont des répercussions au niveau symbolique, beaucoup comportent un double message. Tout devient confus.

La pagaille

Un jour, les autres font une erreur ou disent quelque chose de plus ou moins acceptable, et alors le conflit éclate ouvertement. Une bonne partie de nos réactions sont alors déterminées davantage par notre appartenance à un sous-groupe que par un véritable conflit entre des personnes. Il s'agit le plus souvent de conflits de valeurs, où l'autre devient représentant de valeurs distinctes. Pourtant, c'est en tant qu'individu qu'il sera identifié. Nous oublions que la personne représente des idées, et nous ne la voyons plus comme partie du groupe, mais comme agresseur.

Nous ne réagissons plus aux autres qu'à travers nos préjugés, c'est-à-dire en fonction de notre expérience passée plutôt que de notre expérience présente. Nos relations passées avec certaines personnes (selon leur profession, leur classe sociale, leur sexe, etc.) guident nos comportements plus que les réactions réelles de la personne qui se trouve en face de nous.

Il peut même nous arriver de «justifier» et d'«expliquer» nos idées préconçues avec des arguments rationnels, acceptables pour les membres du groupe. Nous ne devenons alors que plus esclave de nos préjugés, car, une fois ceux-ci justifiés et défendus aux yeux de tous, il nous sera plus difficile de les modifier. Nous nous laissons diriger par nos impressions et nos intuitions alors qu'au contraire il nous faudrait les remettre en question de façon à faire toujours la meilleure évaluation possible de la situation. Chercher à confirmer nos préjugés, surtout lorsqu'il y a polarisation entre divers clans, c'est en définitive limiter nos possibilités d'intervention et d'influence réelle sur l'évolution du groupe.

Nous en venons à trouver normal qu'il y ait des sous-groupes informels, des clans et des affrontements au sein de notre groupe, et à reproduire au sein de nos petits groupes de travail des rapports d'influence semblables à ceux que nous retrouvons dans la société. Pourtant, laisser les rapports de forces «politiques» supplanter au sein du groupe les rapports interpersonnels, c'est négliger une importante — peut-être la plus importante — source d'influence spécifique aux petits groupes: les rapports émotifs entre les personnes en présence. Négliger cet aspect de la vie en petit groupe, alors que notre objectif est justement d'influencer les personnes qui composent le groupe, c'est risquer que nos interventions n'aient aucun impact.

Procédés et tactiques

Prendre du recul

La première chose à faire est d'observer une certaine distance par rapport à son clan en gardant à l'esprit une vision des objectifs et des intérêts de l'ensemble du groupe. Il ne faut surtout pas penser que «les autres c'est l'enfer». Il faut chercher à comprendre leur point de vue et retenir que notre sous-groupe n'a pas nécessairement raison. Il s'agit de faire accréditer par le plus grand nombre une vision des objectifs de l'ensemble du groupe. Refuser d'admettre que notre clan peut se tromper équivaut à refuser d'exercer une influence réelle sur l'ensemble du groupe et à restreindre notre champ d'influence à notre seul sous-groupe.

Il est préférable de nous asseoir en diagonale par rapport aux membres de notre clan ou aux gens avec qui nous avons des affinités; cela afin de mieux saisir les différents points de vue et de pouvoir les mettre en perspective. Il sera plus facile de garder un certain recul si nous installons une distance physique et réelle entre nous et notre propre sous-groupe. Il faut montrer aux membres de l'autre clan que nous ne sommes unis pour la vie avec personne et que nous pouvons garder notre indépendance par rapport à nos alliances. Il s'agit, ici encore, de faire savoir que, pour nous, c'est le groupe dans son entier qui importe. Cependant, il ne faut pas que nos alliés puissent croire que nous changeons de clan. Il nous faut aussi leur montrer que nous savons maintenir nos alliances. Nous ne devons pas nous aliéner nos bonnes relations sous prétexte de nous faire des alliés dans le camp opposé.

L'avocat du diable

Il y a au moins deux bonnes façons d'atteindre ces deux objectifs en apparence contradictoires. La première est de faire de l'humour par rapport à notre propre sous-groupe, à ses valeurs ou à ses façons de faire, tout en soulignant aussi clairement que possible notre appartenance à ce clan. Par exemple, nous dirons:«Je sais bien que nous avons notre point de vue bien à nous, il n'empêche que je trouve le vôtre intéressant.» Ainsi, nous montrons aux autres que nous mesurons les limites de notre propre clan. De même, nous montrons à celui-ci que nous lui restons fidèle. Il faut chercher à développer au sein du groupe une influence axée sur la tolérance et la valorisation des différences et des interdépendances. La seconde façon de montrer aux autres que nous savons prendre une certaine distance par rapport à notre sous-groupe tout en maintenant nos alliances, c'est de manifester parfois un désaccord avec les membres de notre clan ou avec les personnes que nous sentons émotivement plus proches. Il faut poser des questions, nous faire l'avocat du diable tout en demeurant sur un terrain d'entente avec notre sous-groupe. Si le ton monte à notre égard de la part d'un allié, si la conversation tourne en rond ou encore si nous recevons un message clair de remise en question de notre appartenance, du genre: «Tu es avec nous ou contre nous?», cela signifie qu'il y a un danger, que nous sommes en train de quitter le terrain de la bonne entente, ce qui ne veut pas dire que nous ne devons pas prendre de risques face à nos alliés. Au contraire, il faut justement les prendre, puis rassurer nos alliances lorsque ces risques nous apparaissent trop grands, et ensuite revenir à la charge, pour à nouveau rassurer...

De plus, nous devons chercher à nous asseoir en diagonale par rapport aux oppositions perçues ou potentielles. Nous pourrons ainsi mieux observer les alliés possibles et mieux identifier ceux qui se différencient ou qui forment des clans. Cela nous permet également de repérer ceux qui, comme nous, cherchent à prendre des distances vis-à-vis de leur clan. Rappelons que nous avons tous tendance à mettre les sources de danger en face de nous et les éléments de sécurité à côté de nous. Aussi, pour évaluer le potentiel d'oppositions et d'alliances dans le groupe, nous regarderons qui s'assied en face de qui et qui s'assied en diagonale. Cette observation des places de chacun nous permettra de mieux choisir notre propre place à l'avenir. Elle nous permettra également d'intervenir entre les clans et de chercher à maintenir un équilibre au sein du groupe. De même, nous chercherons à équilibrer nos propres interventions puisque évidemment nous devons nous-même éviter de nous adresser toujours aux mêmes personnes ou au même clan. L'objectif ultime de nos diverses observations concernant chacun des membres du groupe est de mieux établir notre stratégie, décider si nous allons nous opposer ou si nous allons construire sur une idée des autres.

Il est préférable de laisser parler les gens de l'autre clan avant de nous prononcer personnellement et de ne pas agir avant qu'ils nous aient confirmé que nous avons compris leurs idées. Cela nous place dans une meilleure position pour proposer quelque chose qui puisse rallier l'ensemble du groupe. Il ne s'agit pas nécessairement d'être d'accord avec leur point de vue mais de manifester que nous le comprenons et que nous essayons de l'intégrer. Il faut écouter et surtout montrer que nous écoutons: cela incitera les autres à nous écouter à leur tour et à désirer connaître notre opinion. Cette attitude de notre part incitera aussi le groupe à valoriser l'écoute. Il faut faire en sorte que les autres perçoivent que nous aidons le groupe à utiliser au maximum ses ressources et ses différences et que nous l'aidons à rester uni.

Personnaliser

Lorsqu'un membre du sous-groupe opposé nous regarde fixement pendant qu'il parle, il faut éviter de le regarder longtemps, et plutôt regarder les autres membres de son clan et l'ensemble du groupe. Nous devons continuer à montrer que nous sommes ouvert à tous, malgré les diverses alliances en présence, et même rechercher, dans la mesure du possible, à établir une alliance ou une complicité avec un membre de l'autre clan dont nous avons l'impression qu'il est relativement influent au sein de ce sous-groupe. Nous devons nous asseoir près de lui, lui parler et essayer de le voir en tant qu'individu et non plus comme le représentant de l'autre clan. Nous devons nous efforcer de personnaliser l'autre clan à nos propres yeux. Il faut éviter de croire que l'autre clan est uni et homogène. Il nous faut plutôt chercher à voir les personnes, leurs différences et leurs ressemblances avec nous et avec notre point de vue. Il faut évaluer les compétences de chacun, son utilité dans le groupe, ses besoins, et chercher à identifier les ressources complémentaires ou différentes. Pour permettre à ces ressources de se manifester, il ne faut pas hésiter à poser des questions aux gens sur leur expérience et leur zone de compétence. Les autres doivent croire qu'à nos yeux l'individu est plus grand et plus important que le sous-groupe auquel il appartient. Réciproquement, nous devons nous présenter et nous faire voir aux yeux des autres comme une personne et non comme un représentant quelconque d'un autre clan.

Personnellement et publiquement, il faut contester les propositions prises et les comportements valorisés par un seul clan, afin d'éviter qu'une décision soit le fait de celui-ci uniquement. Ainsi, elle pourra être remise en question au moindre obstacle suscité par l'autre clan. Concrètement, contester signifie ralentir les discussions pour écouter l'autre point de vue, poser des questions, vérifier si tous ont compris, éviter la facilité et les consensus superficiels. Lors des prises de décision ou de l'établissement des objectifs, nous devons faire appel aux ressources des membres de l'autre clan pour éviter de futures remises en question. Il faut tenter d'impliquer l'ensemble du groupe et non seulement notre clan. Cet effort de responsabilisation de l'ensemble des membres a pour effet d'élargir notre base d'influence.

LES NOUVEAUX VENUS

Les pièges

Tout nouvel arrivant dans un groupe déjà formé depuis long-temps ressent au début un certain malaise. Le groupe a déjà son histoire et certaines plaisanteries et allusions lui échappent complètement. La masse des interactions passées vient gêner la perception que nous avons de ce que nous pouvons dire ou faire. De plus, chaque membre de l'équipe à laquelle nous devons nous intégrer a sa propre version des événements qui ont marqué jusque-là la vie du groupe.

Le jugement

Le principal piège dans cette situation est de juger les autres ou nous-même trop sévèrement dès le départ. Ce piège présente deux versions, selon que nous sommes le nouvel arrivant ou un membre du groupe qui accueille. Lorsque nous arrivons dans un groupe déjà constitué, il se peut que nous ayons tendance soit à ne pas nous accorder la capacité et le pouvoir d'influencer et d'intervenir, soit, à l'opposé, à nous mettre en position de juge et d'observateur.

Lorsque nous sommes déjà membre du groupe, il arrive aussi que nous soyons tenté de juger le nouveau venu trop rapidement. Le groupe tend à lui dénier le pouvoir d'influencer, ou encore, à l'opposé, à le mettre sur un piédestal en position de juge et d'observateur. Par exemple, nous lui demandons, sous prétexte de tester son objectivité à titre de nouveau venu, de trancher un débat qui s'éternise au sein du groupe. Ses possibilités d'intervention sont alors limitées. Il est contraint à jouer l'ignorant ou le sauveur.

Dans cette position, le nouveau venu peut soit refuser d'intervenir dans le sens où le groupe ou certains de ses membres le voudraient, soit relever le défi. Il peut refuser d'intervenir en disant qu'il n'a pas assez d'éléments pour juger et qu'ils sont mieux placés que lui pour faire face au problème. Ou encore il peut relever le défi en tentant, par exemple, de leur dire ce qu'ils doivent faire pour résoudre leur problème. Dans les deux cas, il est pris au piège.

Si le groupe ne donne pas au nouveau venu ou si lui-même ne se donne pas le droit de prendre une place en son sein, comme c'est le cas dans le premier piège, il perd alors sa crédibilité pour de futures interventions et il est intégré dans la mesure où il se conforme aux normes et besoins déjà établis. Sa participation dans le groupe est déterminée par les règles en place. En fait, dans ce cas, il y a un grand risque de cristallisation des réseaux d'influence. Avec le deuxième piège, si le groupe donne au membre ou si lui-même se donne trop d'autorité par rapport à ses compétences réelles ou s'il intervient trop rapidement par rapport à son intégration au groupe, il y a un grand risque de créer des attentes trop grandes. Cette stratégie ne laisse place à aucune erreur possible, car s'afficher d'une façon aussi remarquée et probablement autocratique dès le départ, c'est courir le risque, en tant que nouveau membre, qu'à la moindre difficulté toute notre crédibilité s'envole au profit de l'un ou l'autre des sous-groupes déjà établis. Dans les deux stratégies, les ressources réelles et potentielles du membre risquent d'être ignorées par le groupe et inexploitées par l'individu.

Nous oublions souvent d'intervenir auprès des nouveaux venus.

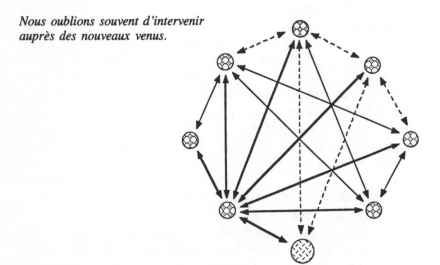

Procédés et tactiques

Absorber

D'abord, si nous sommes déjà membre du groupe, le principe général est de regarder et d'écouter tout nouvel arrivant. Il faut s'asseoir de façon à bien le voir, chercher à accumuler rapidement un maximum d'informations (allure, potentiel, affinités, etc.) afin d'en acquérir une première impression. Il ne faut pas le regarder fixement, mais souvent, même s'il est silencieux. Il ne faut pas le regarder moins ni plus que les autres, mais suffisamment pour qu'un contact puisse s'établir et pour pouvoir facilement lui adresser la parole à la première occasion informelle. Notre objectif ici est de développer chez ce nouveau membre une disposition de crédibilité à l'égard de nos interventions futures.

Si le groupe nous semble accorder trop de pouvoir au nouvel arrivant, il faut insister pour que chacun donne son opinion et prenne position sur le sujet qui est discuté. Si chaque personne a déjà donné son opinion depuis longtemps et que la position de chacun est connue de tous, il faut éviter que ce soit l'opinion du nouvel arrivant qui vienne trancher le débat. Il faut rappeler à tous que nous ne pouvons laisser la responsabilité d'une décision du groupe reposer sur les épaules d'un seul membre. Inversement, si le groupe semble ne donner que peu de pouvoir à la personne, il faut tenter de connaître et de lui faire exprimer son opinion à l'intention de l'ensemble. Nous pouvons, après avoir établi un contact informel, lui demander de prendre position dans la mesure du possible et lui poser comme aux autres des questions tendant à clarifier les enjeux qu'il perçoit dans cette prise de décision. L'objectif ultime et le plus important de nos interventions doit être de réussir l'intégration du nouveau membre de façon qu'il se sente le plus à l'aise possible et qu'il y ait entre lui et le groupe un échange mutuel des ressources. Si son intégration se fait aisément et s'il perçoit que nous l'avons facilitée, notre crédibilité et notre potentiel d'influence sur ce nouveau membre n'en seront que plus solides.

Recueillir

Si nous sommes le nouvel arrivant, il nous faut attendre quelque temps avant de prendre position de façon définitive sur quoi que ce soit. Il faut rechercher et profiter de toutes les occasions (pauses, repas, rencontres de couloir, etc.) pour parler à chacun des membres déjà en place. Il faut recueillir le plus possible d'informations et d'opinions sur la situation du groupe, les relations entre les membres, les complicités publiques et celles qui le sont moins, la tâche, les événements marquants de l'histoire du groupe, etc. Notre objectif est de garder un maximum de portes ouvertes tant au niveau du contenu que de nos complicités au sein du groupe.

CONCLUSION

Influencer n'est pas un processus magique ni quelque chose de moral ou d'immoral. C'est une question d'apprentissage et de responsabilité individuelle. Influencer, cela s'apprend mais pas en un jour. Il n'y a pas véritablement de recette. Notre influence, notre capacité de maîtriser l'impact de nos interventions est le résultat de nombreuses expérimentations, observations et réflexions personnelles. Répétons qu'il ne faut pas tenter de suivre à la lettre les recommandations faites ici ni de les suivre toutes. Il faut plutôt nous en servir comme guides pour mieux orienter nos actes. Rappelons aussi que, dans tous les cas, il ne s'agit pas de nous demander si la situation du groupe est bonne ou mauvaise, mais plutôt de nous demander ce que nous pouvons faire en son sein et quelle peut être notre action.

Deuxième partie

OUTILS DE TRAVAIL

Guide de travail en groupe

INTRODUCTION

Ce guide est constitué de courts énoncés qui résument les comportements à adopter et les gestes à poser. Les suggestions qui y sont faites s'adressent à tous les membres du groupe et peuvent être émises par n'importe quel membre. On n'y trouvera aucun développement théorique. Claire, précise et facile d'accès, cette partie se présente comme un outil de travail. Elle constitue une référence pour mieux structurer nos réunions, pour être efficace en groupe.

Elle est divisée en quatre sections. La première est consacrée à la toute première rencontre du groupe de travail. La deuxième traite en quatre étapes du déroulement des réunions subséquentes: début, déroulement proprement dit, prise de décision et fin. Pour chacune de ces étapes ainsi que pour la toute première rencontre du groupe sont identifiés les problèmes fréquemment rencontrés, les conséquences probables, les comportements à adopter et les objectifs visés. La troisième section énonce très succinctement les causes possibles des divers problèmes de fonctionnement en groupe. Finalement, la dernière section du guide reprend, sous forme de «feuilles de route», l'ensemble des comportements à adopter pour le bon fonctionnement d'une réunion de travail et pour son évaluation.

LA TOUTE PREMIÈRE RENCONTRE
DU GROUPE DE TRAVAIL

a) Problèmes fréquents

- Définition confuse de l'objectif à long terme du groupe
- Divergences d'opinions sur l'objectif à long terme du groupe
- Les possibilités de chacun des membres sont inconnues ou non précisées
- Aucun échéancier n'est déterminé
- Les besoins du groupe, au niveau des rôles à remplir (secrétaire, animateur, délégué, chef d'équipe, etc.), ne sont pas précisés

b) Conséquences probables

- Confusion
- Manque de motivation des membres de l'équipe
- Tension à plus ou moins brève échéance

c) Comportements à adopter

- Qu'un des membres formule à voix haute l'objectif à long terme de l'équipe, et demande si cela est clair et reflète bien la compréhension qu'en ont les autres
- Que chacun présente ses ressources face à l'objectif
- Déterminer une échéance finale et/ou une vue d'ensemble des étapes à parcourir
- Demander si le fonctionnement du groupe requiert l'attribution de certains rôles: secrétaire, animateur, délégué, chef d'équipe, etc.
- Planifier la prochaine rencontre, ou la suite de la rencontre

d) Objectifs visés

- Que chacun se sente concerné par l'objectif
- Que chacun sente qu'il peut contribuer à l'atteindre
- Que chacun s'exprime et s'implique face à la définition de l'objectif

LE DÉBUT DE CHAQUE RÉUNION

a) Problèmes fréquents

• Pas de présentation de l'objet de la réunion (les liens avec les réunions précédentes ou suivantes ne sont pas mis en relief)
• Définition confuse de l'objectif pour la présente réunion
• Divergences à propos de l'objectif pour la présente réunion

b) Conséquences probables

• Sentiment d'avancer à tâtons, de ne pas savoir d'où l'on part et où l'on va
• Remise en question, à plus ou moins brève échéance, du travail accompli
• Perte de temps

c) Comportements à adopter

• Situer l'équipe par rapport à la démarche qu'elle s'était fixée (rappeler le point où la discussion en était arrivée)
• Qu'un membre rappelle à voix haute l'objectif de la réunion et demande si cela est clair et reflète bien la compréhension qu'en ont les autres.

d) Objectifs visés

• Que chacun se sente concerné par l'objectif
• Que chacun comprenne d'où l'on part et où l'on va
• Que chacun s'exprime et s'implique dans la définition de l'objectif

DURANT LE DÉROULEMENT DE LA RÉUNION

a) Problèmes fréquents

- Une ou deux personnes prennent trop d'importance dans la discussion
- Deux personnes discutent sans arrêt entre elles
- Certaines personnes ne s'expriment que très peu

b) Conséquences probables

- Perte de temps
- Polarisation, anarchie
- Sentiment chez certains membres de traîner les autres
- Sentiment chez certains membres d'être exclus
- Tensions, agressivité
- Ressources du groupe peu ou mal utilisées

c) Comportements à adopter

- Éviter de s'adresser à une seule personne
- Parler le plus possible à l'ensemble du groupe
- Promener le plus souvent possible son regard sur l'ensemble des personnes
- Tenir compte de l'expression des personnes (gestes, mimiques, postures, etc.; 90 % du sens d'une communication réside dans le non-verbal et le paraverbal)
- Noter les comportements désagréables, imaginer un correctif acceptable et en parler lors d'une évaluation du fonctionnement du groupe
- Faire des pauses au cours de la réunion
- Changer de place d'une réunion à l'autre (ou lors des pauses), éviter d'avoir toujours la même personne en face ou à côté de soi
- Prévoir et organiser une évaluation du fonctionnement du groupe

d) Objectifs visés

- Favoriser au maximum les interactions et éviter les polarisations
- Faire que les capacités de chacun soient mises à contribution
- Permettre aux membres d'intervenir à tout moment sur le fonctionnement du groupe
- Que chacun s'exprime et s'implique

LA PRISE DE DÉCISION

a) Problèmes fréquents

- Définition confuse de l'objet de la décision à prendre
- Définition non reconnue par tous de l'objet de la décision
- Escamotage de l'étape de récolte des opinions
- Discussion et argumentation trop précipitées (avant la récolte de toutes les opinions)

b) Conséquences probables

- Le groupe n'arrive pas à décider (discute sans fin)
- Perte de temps
- Mauvaise décision
- Groupe peu solidaire des décisions prises (possibilité de critique des décisions par certains membres en dehors des réunions)
- Remise en question des décisions déjà prises
- Tensions exacerbées

c) Comportements à adopter

- Qu'un membre formule à voix haute la décision à prendre et demande si cela est clair et reflète bien la compréhension qu'en ont les autres
- Qu'un des membres (ou chacun des membres) surveille si le groupe n'escamote pas ou n'intervertit pas d'étapes (le groupe devrait toujours pouvoir situer l'étape où il est rendu)

116

ÉTAPES D'UNE PRISE DE DÉCISION

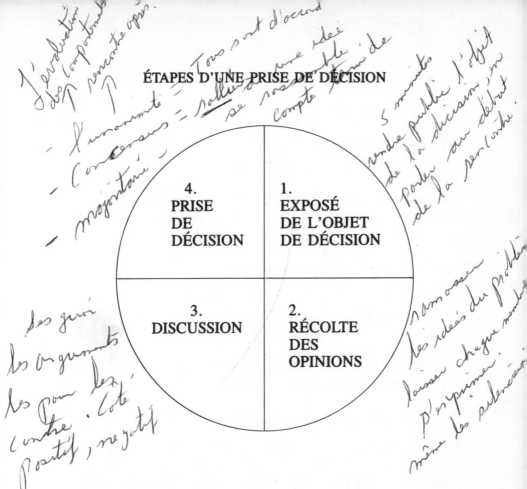

- Durant la récolte des opinions, se limiter aux questions de clarification (pas de jugements ni de discussion)
- À l'étape de la discussion, demander à ceux qui ne se sont pas encore exprimés de prendre position
- Vérifier si, compte tenu du groupe et de la situation, les «perdants» seraient prêts à se rallier à un vote majoritaire (si non, essayer de comprendre pourquoi plutôt qu'argumenter)

d) Objectifs visés

- Que tous les membres du groupe cheminent ensemble
- Que chacun sache clairement sur quoi porte la prise de décision
- Que chacun se sente concerné par la prise de décision
- Que chacun s'exprime et s'implique dans la prise de décision

LA FIN DE CHAQUE RÉUNION

a) Problèmes fréquents

- La réunion se termine souvent dans la confusion et à la hâte (aucune synthèse, aucune préparation de la prochaine rencontre)
- Aucune tentative d'amélioration du fonctionnement de l'équipe n'est faite tant au niveau de l'objectif que des relations entre les membres

b) Conséquences probables

- Difficultés au démarrage de la prochaine réunion
- Absence de critiques positives sur le fonctionnement du groupe (chacun fait ses commentaires et son évaluation personnelle en dehors des heures de réunion)
- Possibilité que des problèmes apparaissent ou s'aggravent
- Difficulté dans le partage du travail

c) Comportements à adopter

- Faire le point avant de terminer (souligner les décisions prises et les autres points positifs de la réunion)
- Déterminer les principaux points à traiter lors de la prochaine réunion
- Demander à chacun de dire au groupe le travail qu'il peut accomplir jusqu'à la prochaine réunion
- Prévoir du temps pour que chacun puisse faire des propositions au groupe et aux membres du groupe pour améliorer le fonctionnement de celui-ci (les recommandations devraient être faites sans reproches et viser des comportements précis avec des suggestions d'améliorations précises)
- Vérifier si l'attribution des rôles convient toujours aux membres

d) Objectifs visés

- Augmenter la cohésion au sein du groupe
- Favoriser la critique positive

- Favoriser au maximum les interactions et éviter les polarisations
- Que chacun se sente concerné par le fonctionnement du groupe
- Que les ressources (capacités, expérience et style) de chacun soient mises à contribution
- Que chacun s'exprime et s'implique en ce qui a trait au fonctionnement du groupe
- Permettre aux membres plus discrets (silencieux) de s'exprimer

CAUSES POSSIBLES DES DIVERS PROBLÈMES

- Certains membres du groupe ont une idée claire de l'objectif et présument qu'il en est de même pour les autres et/ou croient que ceux-ci ont la même idée
- Le groupe est pressé et anxieux d'arriver à un résultat
- Peu d'expérience du travail de groupe
- Confiance excessive dans le groupe
- Méconnaissance et surtout non-application de certaines règles de base pour bien fonctionner en équipe

polariser → dirigé vers le même objectif même destination

→ Concentrer sur soi l'attention, les critiques

→ obsédé par une étude déterminée, n'avoir qu'un centre d'intérêt.

119

FEUILLES DE ROUTE

Au début de la réunion

* Situer l'équipe par rapport au cheminement qu'elle s'était fixé (rappeler le point où le groupe était rendu)
  ☐

* Formuler à voix haute aux autres membres de l'équipe l'objectif de la réunion
  ☐

* Demander si cela est clair et reflète bien la compréhension qu'en ont les autres
  ☐

* Veiller à ne pas s'asseoir à la même place que lors de la dernière réunion (ne pas s'asseoir à côté ou en face des mêmes personnes)
  ☐

* Demander si le groupe a besoin que certains rôles soient attribués (secrétaire, animateur, délégué, chef d'équipe, etc.)
  ☐

Durant la réunion

* S'adresser le plus possible à l'ensemble du groupe plutôt qu'à une seule personne
  ☐

* Promener le plus souvent possible son regard sur l'ensemble des personnes
  ☐

* Tenir compte des expressions non verbales des autres (gestes, mimiques, etc.)
  ☐

* Trouver un ou des correctifs constructifs pour améliorer si nécessaire le fonctionnement du groupe
  ☐

* Demander que le groupe observe une ou plusieurs pauses au cours de la réunion
  ☐

Durant les prises de décision

- Formuler à voix haute aux autres membres de l'équipe le sujet de la décision à prendre
  ☐

- Demander si c'est clair et reflète bien la compréhension qu'en ont les autres
  ☐

- S'assurer que les étapes sont respectées et essayer de situer l'étape où est rendu le groupe

ÉTAPES D'UNE PRISE DE DÉCISION

- Se limiter aux questions de clarification durant la récolte des opinions
  ☐

- Demander à ceux qui ne se sont pas encore exprimés de prendre position
  ☐

- Vérifier si, compte tenu du groupe et de la situation, les «perdants» seraient prêts à se rallier à un vote majoritaire (si non, essayer de comprendre pourquoi plutôt que d'argumenter)
  ☐

Fin de la réunion

- Faire le point avant de terminer (souligner les décisions prises et les autres points positifs de la réunion)
  ☐

- Déterminer les principaux points à traiter lors de la prochaine réunion
  ☐
- Demander et organiser une évaluation du fonctionnement du groupe
  ☐
- Vérifier si l'attribution des rôles convient toujours aux membres
  ☐

GRILLE D'ÉVALUATION

À chaque fois que le groupe répond «non» à l'une des questions concernant le début, le déroulement, les prises de décision et la fin de la réunion, les membres du groupe doivent déterminer les comportements à changer et suggérer des comportements appropriés pour les remplacer.

Chacun doit éviter de juger le comportement des autres ou de justifier le sien. Il s'agit plutôt de chercher à déterminer de façon constructive les correctifs appropriés, compte tenu des capacités et des possibilités de chacun.

Concernant le début de la réunion

- Chacun a pu s'exprimer et se sent impliqué dans la définition de l'objectif
  Oui ☐   Non ☐
- Chacun sait d'où l'on part et où l'on va
  Oui ☐   Non ☐
- Chacun connaît les capacités des autres membres face à l'objectif
  Oui ☐   Non ☐
- Chacun connaît l'échéance finale et a une vue d'ensemble des étapes à parcourir
  Oui ☐   Non ☐
- Le groupe a identifié et comblé ses besoins au niveau des rôles à attribuer (secrétaire, animateur, délégué, chef d'équipe, etc.)
  Oui ☐   Non ☐

Concernant le déroulement de la réunion

- Le groupe a favorisé les interactions et évité les polarisations
  Oui ☐   Non ☐
- Chacun s'exprime et s'implique au sein du groupe
  Oui ☐   Non ☐
- Les ressources de chacun sont mises à contribution
  Oui ☐   Non ☐
- Le groupe a observé une ou des pauses aux moments appropriés
  Oui ☐   Non ☐

Concernant les prises de décision

- Chacun savait clairement sur quoi portaient les prises de décision
  Oui ☐   Non ☐
- Chacun a pu s'exprimer durant les prises de décision
  Oui ☐   Non ☐
- Chacun se sent concerné et impliqué dans les prises de décision
  Oui ☐   Non ☐
- Le groupe a respecté les étapes d'une prise de décision en groupe
  Oui ☐   Non ☐

Concernant la fin de la réunion

- Le groupe a fait un bilan du travail accompli et des décisions prises durant la réunion
  Oui ☐   Non ☐
- Les principaux points de la prochaine réunion sont établis
  Oui ☐   Non ☐
- Les membres se sont partagé le travail
  Oui ☐   Non ☐
- Les membres peuvent émettre des avis sur le fonctionnement du groupe (une période d'évaluation a été prévue)
  Oui ☐   Non ☐
- Une certaine cohésion existe au sein du groupe
  Oui ☐   Non ☐
- Chacun peut s'exprimer au sujet du fonctionnement du groupe (le groupe permet aux membres plus discrets — silencieux — de s'exprimer sur le fonctionnement du groupe)
  Oui ☐   Non ☐
- Chacun se sent concerné par le fonctionnement du groupe et s'est impliqué au sein du groupe
  Oui ☐   Non ☐
- Les capacités (capacités, expérience et style) de chacun ont été mises à contribution
  Oui ☐   Non ☐
- On a vérifié si l'attribution des rôles convenait encore aux membres
  Oui ☐   Non ☐

Exercice pour l'identification des réseaux personnels d'influence

POUR UN PORTRAIT DE NOS RÉSEAUX
PERSONNELS D'INFLUENCE

Nous sommes tous plus ou moins conscients des différentes influences que nous avons subies et subissons encore. Mais par quel jeu d'influences développons-nous nos valeurs et nos croyances? Qui sommes-nous et comment le sommes-nous devenus? Il est souvent difficile de s'en faire une idée précise.

Simple et efficace, le nouvel outil de diagnostic que nous vous proposons permet de dresser un portrait individuel de ses appartenances. Il met en évidence les influences qu'exercent sur notre développement personnel les relations que nous entretenons avec nos proches.

Conçu comme un exercice à faire, il est présenté ici tel que nous l'utilisons auprès de différents groupes de formation et/ou de consultation. Vous êtes invité à effectuer, en même temps que vous le lirez, un diagnostic personnel de votre réseau d'influences/appartenances.

D'abord, il nous faut souligner l'aspect technique de cet exercice. Il comprend de nombreuses étapes qui prennent leur sens une fois le processus complété.

CONSIGNES

COMMENTAIRES

1. Prenez le temps nécessaire à chaque étape; votre satisfaction par rapport à l'ensemble en dépend.

1. Le résultat global est directement proportionnel à la qualité de l'information fournie.

2. Faites une liste d'un maximum de quinze personnes ou groupes qui, dans votre passé, ont eu une influence significative sur vous. Il peut aussi bien s'agir de relations dont l'impact

2. Ce peut être autant des relations avec votre mère, frère, cousine, etc., qu'avec des groupes: la bande du restaurant du coin, les filles du bureau, les camarades de

a été positif que négatif.

Ex.: • Père
  • Georges (un ami)
  • Louise (une tante)
  • L'équipe de hockey

sport, etc. L'important est qu'ils aient exercé une influence significative, c'est-à-dire que ces personnes ou ces groupes aient marqué votre développement. Ce sont souvent les premiers visages qui reviennent à la mémoire lorsqu'on ferme les yeux.

Il peut aussi se glisser dans votre liste des personnages fictifs, comme des héros de roman ou de film, mais cela demeure exceptionnel.

Le chiffre 15 a été fixé empiriquement comme maximum. Il permet de faire un bon portrait sans être submergé d'informations.

3. Faites une deuxième liste, d'une quinzaine de personnes ou de groupes qui ont présentement une influence significative sur vous.

Ex.: • Pierre (conjoint)
  • Bande de Robert
    (copains de travail)
  • Le groupe du 5 à 7
    (amis)

3. L'étendue relative de votre présent est déterminée en fonction de votre perception de celui-ci. En effet l'expérience nous apprend que plus une personne est en période de changement, plus son présent semble se réduire à quelques mois, et qu'inversement, pour une personne en période de stabilité, il semble s'étendre sur quelques années.

Compte tenu de la durée réduite que représente le présent, il est fort probable que cette liste contienne moins de noms que celle du passé. Enfin une même personne ou un même groupe peut se retrouver dans les deux réseaux: passé et présent. Par exemple, votre père, votre épouse ou votre enfant.

4. Une fois ces deux listes complétées, écrivez à côté de chaque nom une série de mots qui décrivent et/ou qualifient l'influence que cette interaction a eue sur vous.

(Nous appellerons ces mots des «descripteurs d'influence».)

Ensuite, choisissez le plus représentatif.

Ex.: Père = force, alcool
= je-m'en-foutisme
= rébellion

Un ami = partage, jeu
= compétition

Une tante = cadeaux, féerie
= célibat

4. L'influence qu'a eue une relation sur vous tient soit à ce que vous avez appris dans cette relation, soit à l'impact qu'elle a eu sur vous, ou encore elle vient de ce qui vous a marqué ou frappé dans cette relation.

L'idéal est de prendre le temps d'effectuer un «mini-remue-méninges» de façon à associer une série de mots à chaque nom et de choisir ensuite le plus représentatif. Ainsi, chaque nom de personne ou de groupe a maintenant un descripteur d'influence qui lui est associé.

Par exemple, ce peut être une expression comme: «bien parler», «bien manger», ou un mot comme: «chaleur», «compétition», «complicité», «colère», «tête», «corps», «jeu».

Dans le cas où des noms de personne ou de groupe se répètent d'une liste à l'autre, il est fort possible que leurs descripteurs respectifs soient différents.

129

5. Prenez une grande feuille rectangulaire. Placez-la horizontalement puis dessinez quatre séries de cercles concentriques comme suit:

Ex.:

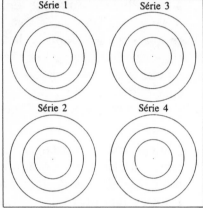

5. Cette disposition graphique facilite la lecture et l'analyse. Elle a de plus l'avantage, comme nous le verrons plus loin, de préserver la confidentialité de certaines informations lorsque l'exercice est utilisé par un groupe de gens.

6. Écrivez les noms des personnes ou des groupes se rapportant à votre passé dans la série de cercles numéro 1 (en haut à gauche dans l'exemple).

Inscrivez les noms les plus significatifs dans le cercle du centre, les noms des personnes dont l'influence fut moins importante dans le deuxième cercle, et finalement les noms de celles dont l'influence fut plus périphérique dans le troisième cercle.

6. Les gens les plus significatifs ne sont pas nécessairement ceux qu'on a le plus aimés. Une personne très significative peut avoir été détestable.

Bien sûr, les choix rattachés à cette hiérarchisation de nos sources d'influence peuvent sembler difficiles. Toutefois, il est possible de fixer un ordre d'importance en se fondant au moins sur la fréquence et l'intensité des différentes relations.

Tous les noms de votre liste doivent être distribués dans les trois cercles de la série

1. Par exemple, on pourrait retrouver six noms au centre, quatre au milieu et cinq en périphérie.

Ex.:

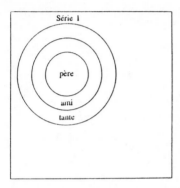

7. Ensuite, inscrivez de la même manière les noms se rapportant à votre présent dans la série de cercles numéro 2.

7. Voir numéro 6.

Ex.:

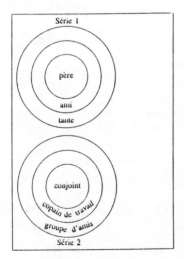

8. Maintenant, placez dans les séries de cercles 3 et 4 les descripteurs d'influence choisis pour chaque nom. Tous doivent se retrouver dans la même position que le nom auquel ils sont respectivement associés.

Vos descripteurs du passé doivent être placés dans la série de cercles numéro 3 et ceux du présent dans la série de cercles numéro 4.

8. Par exemple, si le mot «père» est placé au centre des cercles de la série 1 et que le mot «rébellion» décrit ce que j'ai développé dans ma relation avec lui, alors le mot «rébellion» devrait se retrouver au centre des cercles de la série 3.

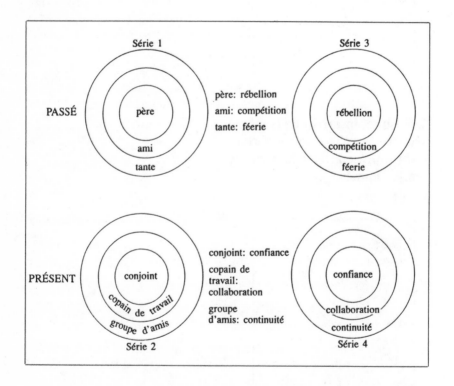

Une fois les séries de cercles 3 et 4 complétées, vous obtenez un portrait de vous-même et de votre évolution en des termes que vous avez choisis. Il est composé de deux instantanés qui tentent de synthétiser d'une part les influences passées et d'autre part celles d'aujourd'hui.

Il est important de souligner qu'il s'agit là d'*un* portrait et non du seul portrait possible. Sa teneur varie selon le vocabulaire employé. La catégorie de mots choisis fait intrinsèquement partie du diagnostic, car le langage utilisé pour effectuer ce portrait de votre réseau d'influences est déterminé par ce même réseau. À travers ce choix de mots apparaît le biais et/ou la partie de la réalité que l'utilisateur a été amené à privilégier. Par exemple, quelqu'un muni d'un biais sociologique pourrait réaliser son portrait en termes de valeurs, un autre plus pédagogue le ferait en termes d'apprentissage, un psychologue le ferait en termes de stratégies interpersonnelles ou intrapersonnelles, etc. C'est pourquoi nous cherchons à utiliser le plus possible différents mots dans nos consignes. Nous cherchons à mettre l'accent sur la procédure, le contenu devant être déterminé par celui qui fait l'exercice.

Après ces étapes, il est souhaitable de poursuivre l'exercice pour en approfondir le contenu. Les questions suivantes servent à stimuler la réflexion:

- Y a-t-il une évolution des liens entre les deux portraits (passé et présent)?
  (statu quo, continuité ou rupture?)

- Des noms se répètent-ils? Changent-ils de position et/ou de descripteur?

- Les descripteurs sont-ils semblables? Contradictoires?

- Que ressentez-vous face à ce portrait de vous et de votre évolution?

- Retrouvez-vous ces descripteurs dans votre vie quotidienne? Dans votre vie professionnelle?

- Les noms des personnes désignent-ils des gens du même sexe ou du sexe opposé? Quel sexe vous influence le plus?

- L'âge?

- Êtes-vous satisfait de ce portrait? De votre évolution? Qu'est-ce qui est satisfaisant? Insatisfaisant?

- Qu'est-ce que vous voudriez changer? Comment?

CONSIGNES	COMMENTAIRES

9. Pliez votre feuille verticalement entre les cercles concentriques contenant les noms et ceux contenant les descripteurs, de façon à n'avoir devant vous que les séries 3 et 4.

9. La disposition graphique utilisée permet à chacun de se dévoiler tout en respectant son désir de confidentialité. Les descripteurs peuvent être dévoilés sans révéler les noms.

10. Formez des sous-groupes de trois ou quatre personnes pour partager les résultats.

10. Si l'exercice est fait au début d'une session de groupe, cet échange en sous-groupe est susceptible de rompre l'isolement souvent ressenti par les participants. L'échange et le dévoilement qui s'ensuivent favorisent l'inclusion des membres dans le groupe, tout en soulevant une diversité d'émotions et de sentiments auxquels le groupe peut apporter son soutien.

11. (Facultatif en groupe)

Demandez à chaque sous-groupe d'exprimer au grand groupe les descripteurs qui apparaissent au centre des portraits de chacun.

11. On obtient ainsi une certaine image du groupe, de ce qui est valorisé, exclu, tabou, etc.

Cet échange entre sous-groupes favorise une permissivité et une relativisation des valeurs. Il s'ensuit une certaine ouverture au changement.

Si l'objectif du groupe est d'améliorer la participation, cet échange aide à préciser des objectifs personnels de changement pour chacun des membres.

134

Il est important de souligner qu'il y a difficilement de changement individuel et personnel sans modification de la structure de son réseau d'appartenances. La personne est un «nexus relationnel». Elle est indissociable de ses interactions passées et présentes. Toutefois, il ne s'agit pas d'un lien linéaire de cause à effet. Les interactions ne forment pas la personne. La personne se forme à travers les relations qu'elle entretient.

Cet exercice permet une vision sociale de l'individu. Il peut être appliqué spécifiquement à différents thèmes. Par exemple, on peut remplacer les noms de personnes ou de groupes par des noms de théories qui nous ont influencés, pour un diagnostic de nos appartenances intellectuelles; des noms de pays où nous avons voyagé, pour nos appartenances géosociales, etc. En fait, il s'agit d'une technique qui s'applique indépendamment du vocabulaire de l'utilisateur. Elle peut être utilisée par différentes écoles de pensée. Le diagnostic pourra être fait tout autant en termes de comportements, d'attitudes, de croyances que de valeurs, de champs de perception ou de zones de conscience.

Par son approche psychosociale, cet exercice jette une lumière nouvelle sur le processus de changement tel qu'il se présente hors des ententes thérapeutiques et/ou de croissance. Il s'inscrit dans le quotidien de la personne. Il montre la grande importance du contexte historique et relationnel. Il permet de dépasser l'«ici et maintenant» qui trop souvent isole l'individu. Cet exercice de diagnostic se place à contre-courant de cette tendance. Son objectif est explicitement de favoriser une meilleure prise de conscience du tissu social d'où émerge la personne.

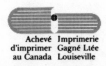

Achevé   Imprimerie
d'imprimer Gagné Ltée
au Canada Louiseville